你不可不知的人性

◉劉墉著

因爲人性醜惡，

所以你不能不認識它；

因爲人性向善，

所以你不能不諒解它。

這本書像一把手術刀，切到人心的深處。

先讓你看清人性的毒瘤，再把毒瘤切除。

它絕對是血淋淋的，

只是血淋淋之後，希望帶給你一種豁達。

前言

由禽獸到超人

這本書寫完，我太太是第一個讀者。

看完，她說「比《我不是教你詐》還辣，很精采！很好看！」接著她笑笑：「但是看了讓人不舒服。」

「爲什麼？」我一驚。

「因爲你好像把人的臉皮剝下來。人性很醜惡，當然看了不舒服。」

◉

這本書確實寫得很大膽，我的筆觸沒有任何保留，像是手術刀一樣——切到人性的深處。

人性是醜惡的，它貪婪自私、急功近利、喜新厭舊、猜忌猶疑，而且隨著年齡

和遭遇，一層層變化、一層層染色，染得連自己都不一定認識。

但是相對的，人性也有善良的一面。

你受傷，倒在地上，在太平的歲月，總有人來救你；你飢餓，寸步難行，在年豐的時節，總有人來助你。

對！我必須加上「太平的歲月」和「年豐的時節」，因爲人們的惻隱之心，只有在他能自保的時候才會顯現。你怎麼要求一個餵不飽自己孩子的人，拿出食物給你呢？

這就是人性！

◉

不久前，有部美國電影——《空軍一號》。飾演總統的哈里遜福特雖然有高尚的愛國情操，但是當歹徒拿槍指著他的妻女時，他終於屈服，幸虧後來靠機智，化險爲夷。

我不見得喜歡這部電影，但是我欣賞其中的人性。

人性是面對親人被威脅的時候，硬漢也不再硬。人性是你有多麼愛，就有多麼強，又有多麼弱，以及多麼自私——對你不愛的人自私。

我覺得在這個不再喊口號的時代，我們更應該認知人性，認知我們都是人，有人的惡，也有人的善。

甚至，我們應該能由人性的醜惡中，看到人性的善良。

◉

細細想，哪個醜惡中沒有善良呢？包括其他動物——

土蜂在毛蟲身上產卵，讓牠的孩子在毛蟲身上孵化，一口口把毛蟲吃掉；老虎追殺、掠奪，然後看著牠的孩子啖食。

「虎毒不食子」不就是這個道理嗎？

「毒」是牠的醜惡；「不食子」是牠的善良。

許多人的毒，都是因爲他的家、他的愛，愛他自己，以及愛那些「愛他的人」。

這麼說來，我們哪個人不毒呢？

過去人們說歐洲人有禮貌、有教養。但是看二次世界大戰的紀錄片，當麵包有限的時候，人們就不再排隊。他們推、打、搶，好像禽獸。

這麼做，可能因爲他們家裡正有幾個嗷嗷待哺的孩子。

換作你，你搶不搶？

如果你怨他搶，罵他禽獸不如，你對嗎？

同樣的情況，你知道在冷戰時期，許多人怕核彈，特別建造了防空洞，外面加鉛板、防輻射線，裡面儲存飲水、食物，還有武器。

那武器用來打誰？打丟核彈的人嗎？

錯了！他們很坦白地說：「是打我的鄰居。因爲我知道，當鄰居沒食物，而知道我有的時候，他們會來搶，爲了自保，我需要武器。」

換作你，你搶不搶？換作你，你拿不拿武器？

這本書與《我不是教你詐》乍看十分類似，但是其中有個很大的不同，就是加了一項「你不能沒有的諒解」。

因爲我寫「你不可不知的人性」的目的，不是只要你知道人性的醜惡，更希望你在「了解」之後，能有「諒解」。我認爲只有這樣的人才算成熟，因爲你在「肯定自己」的同時，也能「肯定別人」。

如果《我不是教你詐》是「戰術」，這本《你不可不知的人性》就是「戰略」。甚至可以說，它討論了「戰爭」——是什麼人性，造成戰爭。

很幸運，處在這個開明的時代，使我能大膽地發表這些作品，也使大家能脫下「仁義」的大帽子，好好檢視一下我們的人性。

尼采說「人是一根繩索，架於超人與禽獸之間。」

希望這本書在使大家看到禽獸的同時，也能見到超人。

儘管我們無法脫離禽獸般人性的弱點，我們仍然試著走向崇高的超人。

這矛盾，何嘗不是人性可愛的地方！

目錄

從良的妓女是全新的人，
不必想舊時的「工作」，
不必認舊時的「同事」。
暴發的朋友是全新的人，
不必攀舊時的交情，
不必認舊時的玩伴。

第一章

噹噹噹噹，去看失火喲！
如果你是圍觀的人，
你是興奮，
還是同情？

股市名嘴換人做

照例，不到上班時間，大家全到了，嚴陣以待。

照例，八點五十，王經理推門進來，昂著頭，疾走，衝進他的辦公室，臨關門，匆匆忙忙地撂下幾個字：

「丟電子，買三商銀。」

照例，整個辦公室都動了起來，每個人都撥電話。

照例，中午由大家請王經理吃飯，謝謝「王鐵嘴」又為大家帶來財運。

◉

「王經理一定有內線，不然怎會那麼準。」小張敬酒的時候，指著王經理說：

「開玩笑！過去兩個禮拜，百分之百猜中，沒內線消息，怎麼可能？」

「對！對！對！」三桌人都起鬨：「快說！快說！王經理，你一定通天，對不

對？」

「不對！不對！」王經理還是那副氣定神閒的樣子：「這，就叫鬼才。很簡單嘛！我前一天看看法人、外資的動向，再一早開電視，了解一下美國收盤的行情，掐指一算，就知道了！」

「欸！怪了，我也看，我怎麼不知道呢？」小邱在一頭兒喊著。

王經理用眼角瞟了一下，抖抖肩，抿嘴笑笑：「這才叫神哪！告訴你們，我從小就有第六感，現在猜股市，主要還是靠第六感，你們學不來的。」

◉

不過，話才說完，第二天，王經理就不神了。

「偶爾一次，猜錯，難免。」大家還照樣聽他的，跟著他買。

可是，連著兩個禮拜，不但不神，還見鬼了。王經理說哪支漲，哪支就跌，而且跌得奇慘。

中午的慶功宴沒了，早上一雙雙盯著門口，「以迎王師」的方向改了。幾個同事，

由小張帶頭，開始成立自救會，每個人分別上網查資料、作統計，第二天一早提出自己的看法，再結合大多數人的意見，下單！

當然，還是有人，就是小邱，仍然聽王經理的。每天王經理一進門，小邱就追上去問。再像挖到個寶貝似的，回來向大家宣布。

王經理的預測，跟自救會的結論總是相反，起初還有人信，只是連賠幾次之後，全改聽自救會的了。

◉

又有慶功宴，大家請了王經理，他板著臉，沈沈地說「我有事。」邀小邱，小邱低著頭，說他寧願吃便當。

連著一個多月，看王經理都爬不起來，跟他大學同學的小張，終於敲門進去，跟王經理解說自救小組的戰法。

「最近我們手氣比較順。」小張很婉轉地說：「您還是聽聽我們的吧！恐怕這陣子，你賠得不少喲！」

沒想到王經理冷冷地回過來：「我賠，也不會跟你借。」同事也私下勸小邱，別再跟著王經理下單，他的第六感不準了。可是小邱不聽，所以當大家中午收盤歡呼的時候，坐在一角的小邱總是低著頭。

◉

王經理終於垮了，據說欠了兩千多萬，債主老是到公司來吵，他自己向總經理遞了辭呈。

小邱居然沒垮，還升了官，從他角落的位子搬進了經理室。總經理的秘書私下透漏，因爲王經理向老總極力推薦小邱，說小邱對業務最了解，也最認眞。

「這不是誰推薦，是我親眼所見。」總經理自己下來作了澄清：「我好幾次中午下來，看見只有王經理和小邱兩個人留在辦公室，吃便當，談事情。」總經理拍拍小邱：「這，假不了！」

◉

小邱居然在家舉行了慶功宴。

進門，嚇一跳，什麼時候小邱家變得這麼大？

「我最近買下隔壁那戶，打通了，比較寬敞，風水也比較好！」小邱帶大家一間間參觀。

「天哪！」周小姐摸著小邱的義大利家具問：「小邱！你要是不跟著王經理，賠那麼多，而把你的錢拿來跟我們一起作，你還了得啊？」

「誰說我跟他？」小邱一瞪眼：「我說過我跟他嗎？我起初聽他的，後來全是偷偷聽你們的啊！要不然，我能這麼發？」

你不可不知的人性

小邱高不高明？

高明！太高明啦！

你細細看這故事，小邱的位子在辦公室的小角落，早期王經理猜中股票，大家慶功的午宴上，小邱是坐在遠處那桌。可見小邱在辦公室，可能是新進，也可能不重要。

最起碼，他不像小張，跟王經理是同學，吃飯時也坐在「第一桌」。

小邱憑什麼，由一個邊緣人，進入主流，坐上大位？

很簡單，憑他創造了共同意識——與王經理患難與共的意識。

王經理說「買電子」，大家去買「銀行」，只有小邱表示他也買了「電子」。

你想想，從說的那一刻，是不是就有了「對立」，有了「較勁」？

「看吧！你說買電子，電子就大跌，還是我們厲害，我們的『銀行』大漲。」

「唉！咱們真是苦命，只怪時運不濟，其實原來是要漲電子，只怪昨天美國高科技大跌。」

你說，那共同意識不是形成了嗎？

◉

股票這東西最能反映人性，因為股票是對全民發行的，人人可以買股票。所以從小處看，兩個人都炒股票，這人炒對了，那人炒錯了，固然是「這家歡樂那家愁」。

從大處看，你今天買了股票，而且大漲。應該跟那些從來不碰股票的人無關，如果你因此請他吃飯，他應該為你高興。對不對？

錯了！當你的股票大漲時，最好別說，因為即使完全不碰股票的人聽說，也會心裡不是滋味。

為什麼？

因為你漲，就表示他跌。

你一定要反問「他不玩股票啊！」

對！他是不玩股票，可是他會想，如果他昨天跟你一起買，他也賺了。今天，他如果下手買，買的則是你賺了之後的高價。

進一步想，如果你跟他原來都各有兩百萬，你在股市一年翻兩番，成了四百萬；他把錢放在銀行，只拿到十二萬的利息，比起來，他不是窮了、寒了，沒能趕上發財快車，被你拋在後面了嗎？

反過來想，當股市跌了，你倒是不妨讓人知道你賠了。因為你賠了，表示他賺了，最起碼他會想：幸虧我沒下海，否則我也慘了。

聽你賠，他會開心，倒不是幸災樂禍的開心，而是慶幸他自己「不買股票」的選擇是正確的。而且，也代表他現在買，跟昨天的價錢比起來，就買得便宜，是賺了。

◉

談到選擇，其實我們一生都在選擇，就像買股票。

我們一個人，一雙手、兩條腿，不可能走每條路、拿每樣東西，當然，我們就得選擇，選了這樣，就不可能選那樣。

一個懂得做人的人，一定要知道，當你的選擇正確時，千萬別「秀」給那些選

錯的人看。

不但選科系、選學校、選職業如此，連選丈夫都一樣。

兩個同班，同樣漂亮的女孩子，或條件相近的兩姐妹，各自挑了個如意郎君。二十年過去，境遇各有不同，妳的丈夫走對了路，發了，變成豪門大戶；她的丈夫雖也不差，只是時運不濟，還在租房子借錢。妳碰上她，最好多說自己的苦處（就算不苦，也要編一點苦），而少顯示自己的得意。

這樣，妳才不會傷朋友，也才不會傷姐妹。當妳不懂這道理的時候，很可能連親兄弟姐妹都變得疏遠，當年愈是條件相近的，愈遠。

為什麼？因為妳的成功，對比了她的失敗。最起碼，她會想，她選輸了妳。她也可能會私下對朋友說：「有什麼好得意？她（指妳）老公當年追我，我還不理呢！她是撿我挑剩下的。」

妳犯得著惹這氣嗎？

◉

選來選去，你猜，這世上最大的選擇是什麼？是國家！

如果你到海外，譬如美國，讀華文報紙，你會發現報上對國內的負面報導，好像特別有興趣。

在國內，台幣下跌、房市不振的消息，可能只占小小一點，在海外的華文報紙卻登得特大。

至於試射飛彈、政爭衝突，就更占大篇幅了。

往好處想，這是因為僑胞們心繫祖國；但是往另一個角度想，你也要知道，那合於「選擇」的心理。

當年他賣了中山北路的房子，跑到美國開雜貨鋪，而今知道中山北路的房價漲了五十倍，美金對台幣，由四十二跌到三十二，他會高興嗎？只怕他要偷偷躲在雜貨店的速食麵箱子後面哭，哭自己選擇離開台灣，而今國內的朋友都發了，他卻……

◉

相反地，如果今天他看到國內的房價慘跌、股市崩盤、台幣重貶，就算他愛國，會為國內的親友操心，甚至傷心淚下。

只是，換作你，你會不會在傷心中也有些竊喜？竊喜自己作了明智的選擇。

你不能沒有的諒解

看了上面這些，如果你在國內，千萬別因此鄙視海外的僑心；如果你在海外，也千萬別不高興。

人畢竟是人。是人都有人性，這本書談的既然是人性，我就不能不攤開來說。人性有卑劣也有崇高，它們往往同時存在——

舊時代，犯人要被砍頭。「要砍頭了！要砍頭了！」大家奔走相告，犯人五花大

綁跪在中間，四周圍了一圈又一圈的群衆。

你能說，那些人去看砍頭，沒有幾分興奮？

你又能說，那些人看人頭落地，沒有許多同情？

這就是卑劣與崇高。

噹！噹！噹！噹！噹！救火車一輛又一輛飛馳而過。大人小孩跟在後面跑，看一團濃煙冒出來，突然火舌騰起。四周觀衆大喊，又看到有人掛在窗外，喊聲更厲害。

請問，你看失火，心裡能沒幾分興奮？你看人被燒，又沒有許多同情？

人就是這麼妙，在那短短一瞬間，你可能先是幸災樂禍，想幸虧不是燒在我家。接著又想，如果那攀在窗上的是我的孩子，該有多可怕。

你突然奮不顧身，衝過去，爬上去，把孩子抱下來，而且保證從那一刻，你跟那原來完全不認識的孩子之間，就有了「情」。

◉

同樣的道理，一個人在股市垮了；一個老同學的婚姻垮了；一個國家的財經垮

了，都可能讓那些「隔岸」的人有些「觀火」的趣味及「暗自慶幸」的想法。

但是，跟著，便是情，便是「惻隱之心」。

想想，當長江水患時，多少身在海外或海峽對岸的華人捐了錢，甚至親自送去災區。

想想，當試射飛彈時，越洋電話線總被佔滿，多少親人由海外打電話關切。

想想，滿清帝國是誰推翻的？那時候，在美國的中國城，多少靠洗衣服、燒飯、理髮維生的華僑，掏出血汗錢來，幫助革命的大業。

孫文是誰？他是華僑，但是他成了我們的國父。

◉

人性就是這麼妙！像失火，你會先衝出來，再衝進去。

衝出來，使你驚魂甫定，能看得更清楚；把你的妻兒帶出來，放在安全的地方，更使你沒有後顧之憂。然後，你人性的崇高面開始發揮，你又衝回去，去救別的人。

話說回來，人類也就因為知道互助，大水來的時候，幸運站在高處的人，才會

伸援手，救那些溺水的人；經濟蕭條的時候，幸運保有財產的人，才會伸援手，幫助那些窮苦的親友；動盪發生的時候，千方百計逃出來的人，才會千方百計地搭救災區的人。

無可否認，那些伸出手的人，都曾經有過短暫的幸災樂禍。

也無可否認，正因為有人走運，有人倒楣，那些倒楣的人才有救。

◉

所以，失意人前，千萬別說得意事。

別人夫妻失和，跟你訴苦。你與其大發宏論，教他夫妻相處之道，不如說「妳看我和我那另一半，好像很親愛，其實，我們以前也常吵架，甚至要離婚呢！」

於是，她心想，她比妳當年還強，應該以後會跟妳一樣好。

別人事業失敗，跟你訴苦。與其以成功者的姿態來指導，不如告訴他，你當年跌得比他更慘，是一點一點又做起來的。

於是，他想，他也能東山再起，和你一樣成功。

大家的婚姻都曾失和，大家的事業都曾失利，你和他不是因此而有了共同意識，在感覺上走得更近了嗎？

◉

想想前面的故事。

當王經理灰頭土臉，知道外面有個「同是股市失意人」的時候，能不覺得有些安慰？

小邱沒害任何人，他只是讓王經理不孤獨。他也使自己不孤獨，從遠遠的角落，移到王經理身邊，再移上主管的位子。

小邱成功了，成功在他發揮了人性的卑劣與崇高。

第二章

昨天才向你推銷健康食品，
被你峻拒的人。
今天你病了，
他是同情，還是高興？

扮老母雞的大男人

外調到這個落後的國家，老丁本來很不高興，但是半年下來，就開心了，尤其是丁太太，更如魚得水，過得比在國內還舒服。

當然舒服了！在國內，請一個菲傭，已經負擔沈重。現在，不僅請一個傭人，而且一個介紹一個，一共有了四個，開支還不到國內的一半。

年歲最大的瑪莉負責燒飯，瑪莉的大妹南西幫著姐姐買菜，還負責洗衣和打掃；瑪莉的二妹，今年才十八歲的露露，像個大孩子，也愛小孩，就專門照顧老丁的小女兒珊珊。

最後來的，瑪莉的丈夫阿壯，則負責坐在餐廳。

對！坐在餐廳。每天一早，從珊珊起床，阿壯就往餐廳的椅子上一坐，只要珊珊跑進餐廳，阿壯就把兩隻手臂伸得長長的，擋著小丫頭；小丫頭走了，阿壯又照

舊坐在那兒。

◉

「瑪莉的老公成天坐在那兒幹什麼？」有一天，老丁問丁太太：「我每次都看見他坐在餐廳裡，他是等擺碗筷，還是等著吃飯？」

「他說他是坐在那兒保護珊珊。」丁太太聳聳肩：「說咱們家的餐桌，桌角太尖，椅子背上又有兩個突出的東西，珊珊跑來跑去，容易受傷，所以他整天守在那兒，專門擋珊珊。」

「去他的！珊珊快兩歲了，又有露露管，敢情還不會走路，要他看？」老丁臉一整：「把阿壯叫來！」

◉

「我不希望養個吃閒飯的，你整天坐在那兒，幹什麼？」老丁不客氣地問阿壯。

「哎呀！哎呀！先生，我是有原因的，我是有原因的，因爲怕小孩摔倒啊！」

阿壯不斷抖動著雙手，好像隻大母雞：「珊珊亂跑，露露常常追不上。所以，我保

護她，不讓她靠近桌子。這個很重要呢！」

「沒有必要……」

「有必要的！」阿壯居然打斷老丁的話：「我有個朋友的小孩，就因爲撞到桌角，死掉了！」

老丁火冒三丈：「少胡說八道！」指指門外：「我昨天訂了一批花，放在屋裡，你以後負責澆花。」

阿壯走了，老丁還生悶氣，喃喃地說：「眞見鬼了，養個大男人，只管澆花，要是讓國內的同事知道，不笑死才怪！」

「唉！反正沒多少錢，看在瑪莉能燒中國菜的份上嘛！」丁太太拍拍老丁：「而且，花管得好，看了也開心哪！」

◉

問題是，花眞管好了嗎？十幾盆花，從進門，花就掉，雖然掉一朵，阿壯馬上會過去撿起來，可是掉完了，他沒花撿了，又不開新花。

「我看你是水澆少了。」老丁有一天摸著土說。

「有澆啊！有澆啊！」阿壯也伸手摸摸：「是濕的！是濕的！」

「是乾是濕，我會不知道？」老丁一瞪眼。

果然隔天，就見每盆花下面都是水，流了滿地，差點讓丁太太滑一跤。

丁太太也罵了人。

花盆下面沒水了，只見阿壯整天拿著一塊抹布，走來走去，隔一會兒，就到花盆底下擦一擦；等一下，又拿噴壺來澆水，然後再擦、再澆。

「你煩不煩哪！」老丁禮拜天看到了：「以後少澆一點，就不會流出來了。澆多了水，你再擦，花也會死啊！」

◉

阿壯嚇到了，躲進廚房，坐在瑪莉旁邊，一句話也不敢吭，好像怕老丁看見似的。

可是第二天，老丁才進辦公室，就接到太太的電話，說珊珊撞到餐廳桌角，頭

撞破了，送進附近的醫院。

老丁立刻趕去，所幸只是擦破皮，沒有腦震盪。

第三天，阿壯又出現了，又坐在餐廳的老位子上，好像在前線站崗似的，瞪著一雙眼守著。

只是，眞奇怪！

從受傷那天開始，珊珊看到阿壯，就露出驚恐的表情，不必阿壯攔，珊珊根本不敢靠近餐廳了。

你不可不知的人性

這故事，你看懂了嗎？

阿壯為什麼特別坐在餐廳擋著桌角？

他澆花時，為什麼會讓水流到外面？為什麼又澆又擦？

最關鍵的是——

珊珊怎麼摔的？為什麼從那天開始，珊珊看見阿壯就害怕？阿壯不是保護她的人嗎？

如果你想不通，就是太不懂人性了。

我不直接解釋，先說幾個真實故事：

一、

當我十年前買房子的時候，請了一位律師負責簽約。這位律師個子不高，聲音也不洪亮，甚至說話有些含含糊糊的。

我起先很擔心，但因為跟他是舊識，不好意思另找他人。

簽約當天，賣方和買方面對面坐著。賣方的律師走進來，嚇我一大跳，居然是

個身高一百九十公分的大巨人。

我的律師坐在他對面，還縮進椅子裡，把手臂盤在胸前。

我正擔心吃虧，卻見我的律師盯著桌上的契約，手依然盤著，只伸了伸食指：

「這裡要改……那裡要刪……那裡要加……」

天哪！對面的大巨人好像變成小綿羊似的，一一點頭稱是地照改。

我佩服極了，事後到處為我的律師宣傳：「他是真人不露相啊！」

直到那律師跟我愈來愈熟，有一天來我家吃飯，喝了幾杯，拍著我說：

「不要再為我宣傳了。你要知道，美國律師故意設計這麼一個有許多小毛病的『約』，大家都心知肚明，哪裡該刪該改。」

「何必呢？」我不懂地問。

「當然有必要。」他笑道：「要不然，你會想你何必請律師，自己來算了。有這一招，演出來，才顯示律師有用！你的錢沒白花啊！」

二、

美國有個棒球界的外野手，他的紀錄雖然不是多麼了不得，但是大大有名，是許多棒球迷的偶像。

因為，他特別會接高飛球，總是在最驚險的情況下把對方接殺出局。

咻！球飛出去，只見他用手遮著帽簷，瞇著眼睛看，向前跑，又向左、向右，再突然把手臂伸直，接連後退、重重地倒在地上。

隔一秒鐘，他伸出左手，全場歡聲雷動，那球正在手套中。

他退休了，有人訪問他，問他接球的秘法。

「這簡單！」他笑笑說：「你明明能一下子就判斷落點，最好還是前後左右跑一跑，用最驚險的姿態接到。」又笑笑：「表演嘛！就像摔角大賽，棒球賽也要演出，才吸引人哪！」

三、

有一天，我暖氣的溫度計不準了，打開來，發現是因為電池漏水，腐蝕了機件。

電池上印著保證不漏水，否則只要把被損壞的東西寄回，一定負責賠償。

問題是，正隆冬，冷得要死，溫度計雖然不準，卻還能起動暖氣，所以我只把電池寄過去，另外附封信，形容損壞的情況。

沒想到，才寄出兩天，就接到那電池公司的電話，問我是什麼機型。

又隔三天，一早，收到個小包裹，居然是個全新的暖氣溫度計。

「效率太驚人了！太讓人佩服了！」我打電話去致謝。

「不要謝謝我們。」對方居然說：「我們該謝謝你，因為我們的電池太好了，幾乎根本不漏水，如果再沒個漏水的案子，我們這個服務部門就要被裁，我們就沒飯吃了！」

◉

看完這些故事，你搞懂了吧！

人們常說「閒得發慌」、「沒事找事」、「無事生非」。

這幾句話講得真是太對了，一個人沒事找事、無事生非，常常沒別的原因，只因為「閒得發慌」，怕人覺得他閒、他沒用。

他沒用，他沒地位，他得滾蛋。你說，他怎能不表現得「不閒」一點？「有用」一點？

◉

以前，「白色恐怖時期」，我在電視公司當記者的時候，每次播報新聞，有人犯了錯，譬如把「中華民國」報成「中華人民」；或把「這次畫展中，共展出三十幅作品」報成「在這次畫展，中共展出三十幅作品。」這類小錯。

新聞播完，回辦公室放下稿子，乘電梯，下樓，常發現在大廳裡已經有幾個人起身，過來跟你握手，「關心」你：「最近情緒還好嗎？」

那時候，我們幾個記者就討論：

「天哪！同一個時間，三家電視台播報新聞，他們敢情不吃晚飯、不休息？全坐在電視前面盯著看、盯著紀錄？」

後來，想通了——

他們領薪水，就是做這工作。十天半個月，有時候甚至一年半載抓不到個「鬼」，而今你總算出點毛病，能不飛車趕到，給你作個筆錄，往上打份報告嗎？

他不報，久了，就是「尸位素餐」，該滾蛋了。

請問，換作你，你報不報？

◉

於是，你會發現「勇於公戰」的人，總「怯於私鬥」；反而「怯於公戰」的人，常「勇於私鬥」。

出去折衝樽俎，為公家拚命的時候，他躲在後面，半句話也不敢吭，回到公司，卻可能說：「我剛才就聽出了，對方那家公司的話中有話，只怕……」

你問他：「當時你為什麼不說呢？」

他嘆口氣：「唉！我，人微言輕，哪兒敢說呢？不說都已經會得罪人了。」

他當然得罪人了，如果你是談判代表，你火不火？

問題是，人就愛聽這種「路透社」的消息，好比愛看「東跑跑、西跑跑、摔倒，再接到球」的演出，才覺得過癮。若是不幸，碰巧你的老闆也愛聽這種小話，那閒人就真肇禍了！

◉

對！閒人肇禍！

什麼叫「不怕官，只怕管」？

那「管」的，常就是沒有用的閒人，他的位子常不高，聲音可能不大，走起路來也可能最安靜，但是蓋章的聲音特別響。

不幸，你有個公文，急著辦，送到他桌上，麻煩就大了。

他老兄擱著、壓著，一會兒上廁所，一會兒擤鼻涕，再拿起來左看看、右瞄瞄，隔半天，往裡倒抽口氣，小聲說：「兄弟！這章難蓋呀！」

偏偏，他真能挑出些規章法條擋你。那「大帽子」抬出來，連頂頭上司都不敢多說話，你又怎麼辦？

人人知道好辦，人人也知道難辦。現在，人人更知道「這小鬼難纏」哪！像他這樣的閒人，你能瞧不起，能不對他敬畏三分嗎？

◉

所以，在辦公室裡，你可以得罪忙人，因為忙人沒時間跟你計較；你可千萬別得罪閒人，因為閒人有的是時間跟你周旋。你更千萬別瞧不起職位低的「人物」。

以前，有個電視明星對我說得妙——

「我出國，回來送禮，一個不敢少。製作人要送，否則他不找你；導播不可少，否則他不給你好角色；攝影師也不能少，否則他不取好角度。」她苦笑一下：「可是，昨天，播出來，我嚇一跳，怎麼自己看來那麼老？眼袋皺紋全出來了，想想！糟了，只怪我自己，沒送『燈光師』啊！」

你不能沒有的諒解

現在，讓我們回到最早的故事。

你猜，老丁的女兒珊珊，是怎麼跌倒的？她為什麼自從跌倒，看到阿壯就害怕？

她會不會再大一點，會講話了，有一天突然說出來：

「是阿壯在後面把我推倒的。」

現在，進入更嚴肅的話題了。

你必須知道，閒人不但能擋你的路、說你的小話，還能扯你的後腿。

老丁說小孩子不會摔倒，犯不著阿壯多管閒事，坐在那兒守著。

阿壯說他朋友就有小孩撞到桌角死了，老丁斥為胡言。

換作你是阿壯，你會怎麼想？

你會不會想「等著瞧」？而當珊珊好好地跑來跑去，證明你說錯話，甚至顯示你

「危言聳聽」的時候，你是不是心裡一百個不是滋味？

當你發覺自己位子不保的時候，你會怎麼辦？

當你發現孩子果然要撞上桌角的時候，你明明一伸手就能救他，你會不會就不伸手？等著證明——

「我說得沒錯吧！」

這，就是人性！

◉

了解了這個人性，你對孩子說話便得小心，尤其是那些青春期的孩子，他們本來就處於「你說東，他偏往西」的叛逆期，當他對你說「我不買這種登山鞋，一定會摔倒」的時候，你可千萬別不以為然地回一句：

「你呀！心裡想什麼，我還不知道？你想耍酷，對不對？別的同學有，你就非有，對不對？我偏不買給你。」

如果你這麼說了，可能他明天出去爬山，真給你掛彩回來。

他也不是假裝摔倒，只是特別不注意，於是，就真受傷了。

同樣的道理，你明明知道你的另一半或親近的人，說他想死，是撒嬌，是「鬧得沒話說了」。

你能說「算了吧！少胡說八道」嗎？

只怕說了，就真造成無法挽回的悲劇。

◉

記住！每個人都有自尊，都要被別人肯定，都要覺得自己的存在有價值。所以明明他閒，你絕不能表現出「覺得他閒」，而應該想辦法給他事做，使他不閒。

如果你是老闆，你更得小心那最閒的人。

發現他沒事，你只有兩條路——一個是立刻請他走路，一個是立刻使他不閒，你甚至得為他「量身裁衣」，寧可「無中生有」地製造個研究主題，叫他去負責研究，你再偷偷把報告扔掉。也千萬別留著這個閒人繼續閒下去。

否則，他必然要製造事端，讓整個公司受害。

更重要的是，當閒人向你建言的時候，你千萬要小心聽，裝作重視，否則閒人很可能證明給你看——

要你好看！

◉

再換個角度，如果你是個閒人，或者你雖不是閒人，但意見跟老闆相左的時候，你該怎麼辦？

讓我們進一步探討，請看下一個故事。

第三章

你的建議不錯，
但是讓我先把你斃了，
再照你的方法做。

小火鍋裡的革命

才三十歲出頭的小方，居然當上了總經理？

算了吧！不如說他那有錢的老岳父當了「董事長」。

這也都歸小方走運，娶到劉大戶的掌珠，據說本來劉老頭看小方學歷差，又窮，不答應，兩個年輕人是搞革命結的婚。

劉老頭火了，從此不跟小兩口往來。偏偏有一天，劉老頭的朋友請客，去個西餐廳，店長過來招呼，當著劉老頭一群有錢朋友，叫了聲「爸爸」，才發現進了女婿的店。

「這是你女婿？」幾個老頭問來問去，劉老頭悶不吭氣地點了點頭。噹啷一聲，餐廳那頭的小方不知是不是緊張，正好把兩盤西餐全打翻了，那牛排還像長了腿似地，一路溜，溜到劉老頭的腳下。

小方就一路追，趴在地上，好像給岳父大人磕頭似地撿牛排。一群人，不！一餐廳的人，全笑了。只有劉老頭，氣得差點想一脚踢過去。卻又不得不壓住怒火，對老朋友笑笑：「我是存心，要他在基層歷練歷練。」

◉

才走出餐廳，劉老頭就發火了，先把小方夫妻叫來臭罵一頓，又左一個電話、右一個電話。

隔天，小方餐廳的董事長就去了劉老頭家，再隔一個多禮拜，那董事長居然說他要退休養老，把所有的股份都讓給了劉老頭。

劉老頭再手一指——

於是，小方搖身一變，由個分店的店長，成爲全公司的總經理了。

◉

小方也眞不含糊，其實他早有「經國之大志」，這些年從店員爬到領班，再爬到店長，對餐廳的經營，早有一番認識、許多抱負。

所以才上任，小方就帶領各店店長，到日韓作了考察，而且立刻有了收穫。

「看看漢城那家小火鍋連鎖店，多發！多賺！」在回程飛機上小方特別從頭等艙走到經濟艙，對二十多位店長宣布：「我現在已經決定，回去就發展這種小火鍋，我連韓國製造火鍋的廠商都搞清楚了，保證成功，而且這是創舉，在國內一定能轟動。」

機艙裡立刻爆發一片掌聲，除了一個人——小牛，沒等掌聲落下，就拉著嗓子喊：

「小方啊！可是你要想想咱們是西餐廳，桌椅都是進口的材料，又是高級地毯，你這火鍋往上一放，水開了，蒸氣再往上跑，涮的時候，又難免濺出來，這損失不就大了嗎？」

下面開始交頭接耳，聽見一些低低的附和：「對呀！可不是嗎！」

小牛還沒完，對大家笑笑：「而且，西餐廳裡講究的是氣氛，東一鍋、西一鍋，既冒火、又冒煙，不是不倫不類嗎？」

「什麼不倫不類？」小方火了：「你吃過瑞士火鍋沒有？不但冒水氣，還冒油煙呢。一句話，我這麼決定了，下個月就進貨，立刻印海報、登廣告，百分之百成功！」

◉

突然間，各報都刊出了大幅的小火鍋廣告，韓式西吃，配南非龍蝦、神戶牛肉、阿拉斯加螃蟹腿。

每家連鎖店前，除了掛滿大彩條、大海報，還插滿了旗子，推出期間，特價優待。

這特價優待，原定兩個星期，沒想到，欲罷不能，居然持續了半年。

這欲罷不能是不得已呀！

推出第一天，明明是元月，偏偏熱得跟盛夏一樣，客人進來，都喊熱，還有好多，抬頭一看是小火鍋，轉身就出去了。

接著，又是梅雨，加上小火鍋一蒸一烤，牆上的壁紙居然自己開口，從頂上脫

落，害得各分店急著用膠條把壁紙黏回去。

黏回去？多難看！可是跟桌、椅、地毯比起來還算好看呢！正中了小牛說的，豪華的家具全完了，才半年，這高級西餐廳不但變得不倫不類，老顧客不再上門。連有限的幾位捧小火鍋場的顧客都不來了，說這餐廳太老舊、不求進步。

◉

其中唯一的例外，是小牛負責的那家店。

小牛求進步，他雖然好像服從總公司的命令，進了一批小火鍋，可是他不宣傳，更不推薦，只當小火鍋不存在。甚至碰上看廣告要來嚐新的顧客，小牛都搖搖手笑笑，小聲說：「講句實話，我自己都不敢恭維這種東西，我勸您，還是點西餐吧！我們是西餐廳嘛！哈哈！對不對？」

小牛那家的生意居然一天比一天好，每月一次的店長會議，小牛在下面，雖不說話，他的笑，卻一次比一次……讓小方不舒服。

「當然啦！有些不喜歡看到火鍋的客人，會一起跑去火鍋少的分店，這不是那

家店好，是走歪運。」小方安慰大家：「繼續堅持，什麼新東西，要造成風氣，都得花點時間。」

只是，話才說完，有一家店就出了亂子。火鍋下面的小瓦斯爐，先是點不著，點一次兩次，居然轟一聲，蹲在那兒點火的店員立刻進了醫院。

跟著另一家店也發生意外，是壁紙沒黏牢，掉下來，正碰上下面小火鍋的火，著了起來，雖沒釀成大禍，救火車一澆，卻全「泡了湯」。

偏偏這時候小牛的餐廳被市政府選爲衛生安全評獎的第一名，小牛自己發了新聞，還開了慶功宴。

慶功宴居然發請帖給各分店的店長，以及方總經理。

◉

聽說大家都去了，除了方總之外。

小方頭疼了，思前想後，幾天失眠。人不用說話，數字會說話，從他上任半年來，公司的業績跌了三分之二。

「我錯了！」小方主動去見老岳父：「我做了錯誤的決策，我想明天就宣布，各分店全部放棄小火鍋。」

劉老頭鐵青著臉，正盯著財務報表看，聽小方這麼說，那鐵青突然變成通紅，狠狠拍一下桌子，霍地站了起來：

「你沒錯！你現在宣布改回去，就眞錯了！」

◉

小方把原來寫好的公文壓下了，換上另一張——

「××分店不配合總公司決策，有違團隊精神，也有損公司整體形象。經董事會決議，店長牛××應予免職，即日生效。」

小牛走路了，他那家副店長很識時務，立刻搬出小火鍋。

只是，才端出，就接到方總經理辦公室秘書的電話：

「你們分店維持原來的經營方式，不必推出小火鍋。」

又過幾天，新的命令發布：

「經測試，推出小火鍋的時機尚未成熟，下週起，各店均撤銷小火鍋，並進行全面整修。」

你不可不知的人性

看這故事，你會不會想：

劉老頭未免太毒又太笨了。小方不是料，正需要小牛這樣的人才來輔佐；而且小牛為公司賺了錢，明明該賞的時候，你為什麼反而「恩將仇報」，把小牛開革了呢？如果你認為小牛做得不對，又為什麼在小牛滾蛋之後，立刻把原來的計畫廢除，而全照小牛的方法去做呢？

◉

不知你有沒有看過史帝芬史匹柏導的《辛德勒名單》，如果你看過，你記得當集中營裡蓋房子，德國軍官用的方法不對，一位猶太女工程師說那樣一定會垮的時候，德國軍官怎麼做？

他先一槍打死那猶太「專家」。再告訴下面人，照「她」講的方法去改。

這電影情節是根據史實，請問他為什麼先把專家殺掉，又立刻照專家的方法做呢？

這跟劉老頭的做法不是一樣嗎？

對的！從這個角度想，你可以說小牛還算走運，幸虧他是在餐館做事，要是換作以前的「軍中」或「宮廷」，只怕他已經人頭落地了。

◉

不知你有沒有看過《三國志》裡袁紹與田豐的故事。

袁紹要攻打曹操，袁紹的手下田豐勸說「曹操用兵變化多端，不能小看，不如跟他作持久戰。」

袁紹不聽，田豐還是力諫。

袁紹火了，說他是故意洩士兵的氣，於是先把田豐關了起來，再出兵。

袁紹果然大敗。

聽說袁紹敗了，有人對田豐報喜說：「果然一切如你所料，袁紹回來一定會重用你了。」

說到這兒，你猜田豐怎麼說。

田豐很沈痛地嘆口氣：「唉！要是打贏了，我還能活；現在戰敗，我非死不可！」

果然，袁紹回來之後，對左右的人說：「我沒聽田豐的話，現在他一定在心裡暗笑我。」

接著把田豐拉出去殺了。

◉

你看過《史記》裡伍子胥的故事嗎？

吳王夫差要打齊國，伍子胥力諫，說「越國才真是大患，越王勾踐存在一天，

吳國的禍患就存在一天。現在不打越國，去打齊國，是大錯特錯。」

吳王沒聽，照樣出兵攻齊，而且奏凱歸來，從此不聽伍子胥的話。

過了四年，吳王又要發兵攻齊。伍子胥又力諫，而且話說得更重：「懇請大王先解決越國問題，否則後悔莫及。」

你猜，伍子胥的下場如何？

伍子胥不但被吳王賜死，而且把屍體扔在江裡。

吳國的宰相伯嚭對吳王說得好——

「以前大王要打齊國的時候，伍子胥堅稱不可，最後大王還是大勝，伍子胥非常懊惱，因為他的計謀沒被採納。如今大王又要打齊國，伍子胥又攔阻，破壞整個計畫，他只希望我們敗北，才能證明他的高瞻遠矚。」

◉

伯嚭是所謂奸臣，但是他說的話有錯嗎？他分析的是人性哪！

田豐為什麼自知會被殺？田豐也是因為了解人性。

想想，小牛如果當時不曾當著各分店店長的面，指方總的決策不對。而自己偷偷不照計畫施行，也不對外發新聞，小牛會滾蛋嗎？

劉老頭沒錯！

從人性和領導統御的角度看，如果小方在開革小牛之前，先宣布自己的計畫失敗，是不是惹得大家偷笑，他以後還怎麼領導？他還有什麼「威儀」？又怎麼服人？

所以與那德國軍官、袁紹和夫差一樣，劉老頭教小方——先殺再說。先教人頭落地，使下面人收起心裡的「笑」，再說。

◉

自古以來，愈是有能力的領導者，愈心寬，愈能容得下人。像是貞觀之治的李世民，他當然有心胸「察納雅言」，就算魏徵當著大家面指出他的不是，他也不會把魏徵殺了，甚至讚美魏徵可以使他「知得失」。

這是因為李世民強啊！

這是因為李世民功業彪炳、人人擁戴啊！

你想想，如果小方上台之後，多半的構想都成功，為公司賺了大錢，只有這一個小火鍋的案子失敗，他會把小牛開革嗎？

恐怕他還會當著大家的面說「只怪我當時沒聽牛店長的話，以後大家有想法，可以盡量提出。」呢！

因為他的「功」足以掩他的「過」，所以他有本錢認錯，認了錯，反而能讓大家覺得他「寬厚、開明」。

你不能沒有的諒解

看了這許多，你就要知道，在一個團體裡，你不是不能發表跟主管相反的意見，只是發表前你先要想想那長官有沒有接受指摘的雅量和本錢。

然後，你就可以決定「說」還是「不說」，或者「怎麼說」。

孔子講得好——「邦有道，危言危行；邦無道，危行言孫。」

什麼叫「言孫（遜）」？

言遜是你用低姿態去說話。

譬如你對老闆說：「記得××時候，您（老闆）講過一個原則，我一直用這個原則去想事情。今天這個案子，能不能也朝那個原則考慮，換個做法呢？」

管他（主管）以前有沒有說過那方法，只要是好方法，他總不會否認，於是他就算作了一百八十度的轉變，在大家看來，也好像是出於他自己的想法。

當然，你也可以找個只有主管和你在的機會，用試探的語氣提建議。沒有別人在場，不傷他的面子，他比較容易接受。

你更可以明明要建議他用A案，卻說：「我覺得有ABC三種做法，不知哪個比較好，請長官指示。」

結果，他挑了A案。在感覺上那是他挑的，是他的智慧，不是面子全給了他嗎？

只是他也心知肚明，於是他感激你，會偷偷謝你。

記住！

一個偉大的學者，會讓他的秘書修正他的演講稿。但是一個爛主管，不會容得職員改他公文上的半個錯字。

你愈碰上爛主管，愈要小心。

◉

現在，讓我們回到原來的故事。

如果你是小牛，你要怎麼辦？

你可以照田豐和伍子胥的做法，力諫、死諫！

你也可以「將在外，君命有所不受」——自己偷偷做自己的，但不出外張揚。

你更可以在方總已經決定之後，就放棄自己原來的想法，全力推動小火鍋。

對的！全力推動那個你知道「成不了」的小火鍋。

你要假設，如果那是軍令或投票的結果，你能不服從嗎？你又能因為投票的都

是「無知的民衆」而不遵行嗎？

◉

什麼叫民主？

「民主」是你可以在投票之前爭得面紅耳赤，結果出來之後，即使不如你的想法，你也少數服從多數的制度。

什麼是員工？

「員工」是你可以透過管道建言，但是上面決策下來，你明知不對，也全力以赴。再不然，就掛冠求去、另謀高就的部屬。

在民主社會，最有害的，是那些投票結果合你意，就高喊「民主萬歲」；不合意，則翻票箱喊冤的人。也是那些能反對的時候不反對，後來卻放馬後砲、消極怠工的人。

◉

即使他放得對，在團體裡也是禍害。

了解了這一點，你就要知道，如果你是田豐或伍子胥，保命不難，你只要在主子決定之後，立刻放棄己見，全力幫主子就成了。

在一個公司裡，當你的意見跟主管相左，你力爭，仍不被採納之後。你就要加倍努力，去配合主管的做法。你要比別人跑在更前面，甚至死在更前面。

你千萬別成了邊緣人，躲在一角，冷眼看大夥拚命，讓人猜「你只盼大家失敗，表示你原來的看法對」。

於是無論成與敗，你都是主管最痛恨的人。

而且，他愈失敗，愈恨你，甚至如果大家跟他一起拚了命，打了敗仗回來，看你訕笑，（明明你沒笑，他們也覺得你在笑）會一起把失敗的責任推在你「扯後腿」上。

這就是人性！不要嘆人性可悲，因為你也是人，這也是你的人性。

換你作劉老頭，你也一樣得叫小牛捲鋪蓋呀！

第四章

感情！感情！
既然妳冷感，我只好無情。
抱負！抱負！
既然你不抱我，我只好負你。

老周的新老婆

不知是否早上那碗燙飯，用了昨晚的剩菜，不大新鮮，老徐下午一直胃不舒服，偏偏晚上還有應酬。

應酬在老周的新園舉行。

「新園」，多俗氣的名字，也只有老周那個俗氣的太太取得出來。

「愈來愈年輕了！」雖然看不起周太太，老徐進門的時候還是奉承兩句。這女人，老徐早認識，以前她在台上唱戲，老徐和老周總坐在台下，老周一開演就睡著，還打呼，每次都是老徐把他踢醒。

誰能想到，這女人居然成了老周的太太，據說她是先去找老周拜師學畫，學著學著，學到床上去了。

哼哼哼！老徐看著那女人彎腰拿拖鞋，露出裡頭穿的黑色蕾絲的內衣，暗自笑

了兩聲。

「您笑什麼啊！」

「他笑妳這家布置得眞漂亮！」還是徐太太聰明，接了話。

那女人也笑笑：「我不懂得布置，還得徐老師、徐師母指點。」說著過來，爲老徐解開毛衣扣子：「您的扣子扣錯了，上下差了一個，我給您扣好。」

「他啊！老扣錯。」徐太太搶上前幫丈夫扣。

女人趕快讓開，卻又笑說：「對了！我最近給周老師買了兩件毛衣，他嫌多，我就送一件給徐老師吧！」沒說完就跑了進去。

◉

看那女人一扭一扭地一溜煙不見了，老徐又哼了一聲。

「就是會花錢。」徐太太也哼了一聲：「也不知道老周有多少錢好讓她這麼花。」

「不過他最近的行情不差喲！」老徐看看四周牆上的畫，居然全是老周的新作，每一幅都裝了上好的雕花金框，天花板頂上的投光燈，把柔和而均勻的光線打在畫

上。

老徐點了點頭，心想：「這老周自從老妻上了天國，就要死要死的，原本猜他遇上這年輕女人，搞幾下，非死不可，沒想到居然愈活愈壯，連作品都枯木逢春，有了新意。」

正想著，周太太果然拿了件毛衣出來，一邊跑一邊叫：「您試試，可別見外喲！」徐太太一把接過來，翻過來掉過去地看：「嗯！日本做的，我們老徐不穿日本貨。」

「誰說我不穿日本貨。」老徐一把將毛衣搶過來，好輕好輕，老徐嚇一跳：「這是什麼料？」

「純開希米爾羊毛！」周太太笑著，一臉媚相。

「很貴吧！」

「不貴不貴，才三萬塊。」

老徐又嚇一跳，徐太太更倒抽口涼氣：「什麼？這麼一件毛衣，要三萬塊錢？

妳呀！眞買得下手。」徐太太搖著頭指指老徐：「瞧！我們老徐身上這件，才三百塊，穿十年了，還不是好好的？又不容易髒，洗都不用洗。」

◉

正說著，老周出來了，乍見還以爲是老周的大兒子呢！

「你可穿得眞年輕。」老徐上去拍拍老周。

「她買的！」老周指指太太。

「頭髮也染了。」

「她染的！」老周又指指太太。

那女人又媚媚地，得意地笑了，歪著頭，看著老周，又過去摸摸老周的臉：「本來就很年輕嘛！對不對？周老師！」

聽她叫周老師，就覺得噁心，老徐心想：「幸虧我不是你學生，否則同學變師母，怎麼改口？」

好像看出老徐心事似地，老周笑笑：「我現在不教學生了。」

「爲什麼？」老徐一驚：「那最起碼是個穩定的收入啊！」

「因爲買畫的人太多，她又一天到晚不閒著。」指指那女人。

那女人又媚笑著縮縮脖子：「周老師的意思是我總給他安排畫展。」

「是啊！下個月巴黎展覽。」老周攤著兩隻手：「明年初紐約又談好了。」

「怎麼安排的？」老徐瞪大眼睛，卻見那女人跑進去又跑出來，抱著兩本大書。

「你瞧，我這太太還配合畫展，要人家出了兩本畫冊。」老周把畫冊接過來，交給老徐，又被徐太太搶過去看。

「人家是給我看的。」老徐再一把搶了回來。

「印得可真精美啊！」一邊翻，老徐一邊點頭。

「瑞士印的。」周太太把茶放下：「爲這畫冊，我們還去了趟瑞士。」

「什麼？你們去了瑞士？」

「是啊！您不知道啊！」那女人居然一屁股擠在老周旁邊，伸出細細的手臂，勾著老周的脖子：「我們還去了麥特杭峰呢！」

「我寫生了一堆。」老周也眞老不修，親了親年輕太太的嫩臉：「太陽大、風也大，她在旁邊給我撐著傘、扶著寫生本，才畫成的。」這時女人又一溜煙跑開了，再出現在門口。

「看！」女人舉著一張畫，正是麥特杭峰。

老徐一下子站了起來，慢慢走過去，上上下下細細地看：「眞好！眞好。」轉身看著老周：「是我見過的，你最好的作品。」

正讚美呢，突然暗叫一聲不好，胃又疼。所幸，疼一下，就過去了。

◉

晚飯是那年輕女人做的。這戲子除了演戲，居然還會燒菜，尤其那道排翅，整整一排，一點沒煮散，卻又入口即化，鮮極了。

「妳在哪兒學的啊！」老徐笑問。

「我上烹飪班，跟傅培梅學的。」那女人又嬌滴滴地偎到老周身上：「而且，我要老師帶我出去吃。」

「她只要吃一次，回來就能做了。」老周嘿嘿嘿地笑，嘴裡的黃牙不見了，換成雪白的。

「你還鑲了新的假牙。」老徐指著老周。

「是假的，也不是假的。」老周張開嘴，用手抓著門牙作成搖動的樣子：「這是植牙，很舒服，很結實。」又笑笑：「也很貴！」

「賺了，就要花嘛！」那女人又手伸過去，摸了摸老周的臉，那臉居然紅了，白裡透紅。

◉

飯後大家到客廳喝茶，女人跑前跑後，捧出成套的茶具，跪在地上爲老徐倒茶，徐太太一把搶過茶壺：「我來我來」，又瞪了老徐一眼。

接著，那女人又端出一大盤水果，有葡萄、芒果、草莓，還有櫻桃。每塊芒果都切得整整齊齊，還在上面各挿了根牙籤。

老徐吃了一塊，看看老周：「眞甜，你太太可眞會買。」

「她啊，下午先削好、切好，套上膠膜，放進冰箱凍著，晚上吃，就特別甜了。」

「可眞麻煩。」徐太太放下牙籤，過去拿葡萄：「這是什麼葡萄？」放進嘴裡：

「喔！義大利葡萄。」

「義大利葡萄？」老徐也拿一顆放進嘴裡，唰！一下子，好像回到了童年：「這不是咱煙台葡萄嗎？天哪！」轉頭看那女人：「妳在哪兒買的？」

女人還沒答話，徐太太說了：「菜場就有，太貴了，我是不買這種葡萄的。水果嘛！有得吃就成了，想當年連番茄都吃不起。」

哈哈哈哈，老周笑了，傾過身拍拍老徐：「老徐啊！你的畫價比我高得多，又有那麼多收藏，咱們都這個年歲了，存著幹麼？拿出來，花啊！」

「是啊！人生在世，能享受總要享受享受。」那女人又媚媚地笑了。

◉

「總要享受享受。」在車上，徐太太咬著舌尖，學那女人嬌滴滴的聲音：「她遲早把老周搞破產。」

老徐沒說話，又胸口疼，回家就睡了。

他這一睡，就沒再起來，心肌梗塞，進了醫院。

「膽固醇這麼高，爲什麼不早檢查？吃藥？」醫生問徐太太。

「都怪他啊！專愛吃大肥肉。」

老徐在醫院又拖了一陣，老周夫婦去看了兩回，但是沒能參加老徐的喪禮。

因爲老徐出殯那天，老周正帶著太太，在巴黎。

你不可不知的人性

先讓我們作個有意思的假設吧！

如果老徐回家之後，沒有心臟病發，卻表現得特別暴躁，或者隔兩天，突然離

家出走，你會詫異嗎？

他為什麼脾氣暴躁？

因為跟老周比起來，他發覺自己太可憐了。

老周的「少妻」雖然會花錢，但是也會賺錢。她把老周的作品用最好的方式陳列；她為老周安排畫展、出版畫冊、推向國際。於是老周的畫價提高了、作品進步了、收入增加了。她再用這些錢改善生活，讓老周住得好、穿得好、吃得好，再拉著老周出去旅行，使原來已經「來日無多」的老周，又枯木逢春，充滿生氣了，不是嗎？

但是從另一個角度想，老徐的老妻也不差啊！她跟著老徐一起吃苦、受罪、打天下，一路行來，老徐成名了，她還繼續幫著老徐省錢，連貴一點的衣服、水果都不捨得買。那是她的美德啊！老徐豈能不感念呢？

難道男人有一天發了，就能把當年的糟糠妻遺棄嗎？難道一個女人老了就活該走路嗎？

這些話都沒錯，但是為什麼得意的中年男人遺棄老妻，另娶年輕女人的故事總是上演呢？

話再說回來，許多婦人，守著丈夫二三十年，不是也把頭一甩，離家出走了嗎？為什麼？

他們可能說不出來，但是當你細細觀察之後，就會發現，因為——他們的另一半已經不是原來的那一半。

他們有這樣的感覺，一個可能是他們自己變了，於是看另一半不再順眼；也可能是另一半確實跟以前不一樣了。

現在我們就觸及了人性最重要的一部分——愛。

◉

男女之愛，很妙！無論你怎麼說「愛是無條件的」，年輕時的「愛」還總是跟「性」有關。

否則，你們為什麼由拉拉手到摟摟腰，到擁吻、撫愛，然後上了床？

因為這是與生俱來的本能，也就因為這本能，使男女可以相悅，使君子可以好逑，使種族能夠繁衍。

如果人人都談柏拉圖式的愛情，都只要心靈、沒有肉體，這世上還有人類存在嗎？

所以，年輕人的愛往往是帶有「性驅迫」的。

他們目光交流、含情脈脈，他們傾心交談、徹夜不眠。他們終於像是乾柴烈火，突破最後的防線，他們翻騰、瘋狂，達到高潮。

然後呢？

然後，他們睡著了，睡得很熟。

請問，他們怎麼不繼續一直聊、一直聊、互訴衷情、聊到天亮？

◉

性愛、性愛，男女最先的相處需要「性」，後來的相處需要「愛」。所以有人說，一對男女在做愛之後，還能彼此愛憐、百般溫存的才是真愛。

我們更可以引申——只有當一對夫妻，有一天成了「無性夫妻」，還能彼此扶持，相顧深情的才是真愛。

恕我講一句很俗的話：

據說應召女郎往往在「辦事」之前，先收錢。

那男人就在眼前，跑不掉，她何必先收錢呢？

應召女郎的道理很簡單——

「男人下面硬的時候心就軟，下面軟的時候心就硬。當他『辦完了事』，會立刻變得小器，會馬上後悔花那麼多的『代價』，甚至立刻覺得眼前的女人不夠美。辦事之前，則恰恰相反。」

◉

夫妻之間，雖然不這麼現實，但你如果細細想想，不也差不多嗎？

她溫柔得像隻小貓，偎在你身邊。他體貼得像隻小狗，在妳旁邊打轉。她露出最嬌媚的笑，把菜端上桌；他以最勤快的動作，把碗盤拿去洗。

他們把燈調暗，把音響打開。

他們……

在戀愛時期，也可以說在新鮮時期，兩個人的精力都特別好，吃完飯可以去跳舞，跳完舞可以去PUB，PUB回來還有用不完的精力。

但是，當有一天，他們倦了，因為上班倦了，因為對另一半倦了，因為對「那件事」倦了的時候，怎麼辦？

原來切得細細的水果，現在成了「喂！」唰！一個蘋果迎面飛來。

原來蹲在浴缸邊幫你搓背，現在已經逕自去睡，並傳來鼾聲。

原來的「三菜一湯」，現在是微波爐裡端出來的「三盒一杯」，還撂下一句話：「人家丈夫都有應酬，只有你天天回家吃飯，把我都累死了！」

原來的飯後依偎、音樂欣賞，成了督促孩子做功課，以及打罵哭喊。

原來的柔聲細語，成為了河東獅吼。

◉

那男人也一樣。原來靠在太太背後，對著耳朵吹氣，現在鞋子一摔，倒上沙發就看報。

原來說東說西，向太太報告外面的一切，現在眼睛越過老婆肩頭，盯著電視一動也不動。

原來幫著擺碗筷、收桌子，現在兩杯酒下肚，歪在椅子上已經睡著，且發出殺豬的音響。

原來放屁時，一定躲到浴室，或說對不起，現在大剌剌地，還好像以「豪放」為得意。

原來假日拉著太太看電影、爬山，現在假日不是睡大覺，就是背著球袋消失不見。

◉

碰到這狀況，無論那男人或女人都會說「老夫老妻了嘛！幹什麼還裝？上班、管孩子，累死了，誰還有什麼情緒？」

可不是嗎？

他們是倦了，因為工作倦了，因為體力不如從前而倦了，也因為眼前那個人，已經看了太多年而倦了。

他們的「性」少了，「愛」也少了。

你不能沒有的諒解

政界常說一句話──「上台靠機會，下台靠智慧。」

男女之間也可以說──「戀愛靠機會，婚姻靠智慧。」

茫茫人海，偏偏遇上他，當然是「機會」！但是此後幾十年，就靠彼此的智慧了。

只有那些能夠把「熱情如火」的戀愛，化為「胼手胝足」的恩愛，再化為「相

濡以沫」的憐愛的人，才有愛的大智慧。

問題是，你必須知道——你有，她不一定有；他有，妳不一定有。

有些人就是沒有愛的智慧，也可以說他們沒有愛的能力。

感情！感情！他有「感」，卻沒有「情」。

抱負！抱負！他能「抱」，卻不能「負」。

性沒了，他就不愛了；「更年期」到了，她就粗俗了；年輕女人出現，他就絕情了。

◉

除此之外，你必須知道，人的「前半生」可能用「下半身」思考；人的「後半生」，可能用「上半身」思考。

上半身的思考，是用心、用腦，那是理智的，也是頓悟的，所以當他「想通了」，往往就一下子改變，再也難以挽回。

你知道大思想家羅素是怎麼跟他的老婆愛麗絲分開的嗎？

他是有一天騎脚踏車，在鄉間小路上，突然發覺再也不愛她。然後某一日，讀書讀到一半，站起身，出門，就再也沒回頭。

你知道大文豪托爾斯泰是怎麼死的嗎？

他是在風雪天逃家，死在火車站的。

他們的老婆都曾經是他們的愛妻，他們為什麼那麼絕呢？

誰不知道愛麗絲漂亮？誰不知道托爾斯泰夫人賢慧？

但是漂亮的不永遠漂亮，賢慧的不永遠賢慧，你要想想他們會不會像前面故事裡的老徐，當他們的另一半變了質，不再優雅、不再體貼，到有一天，他們忍無可忍，想開了，便突然下決定——離開，甚至即使會凍死，他們也要離開。

◉

女人也一樣啊！

多少女人在丈夫「變質」之後，為了孩子忍，忍了十幾二十年，孩子上大學、入社會，女人突然離開了。

她們的道理很簡單——

「我覺得前半生白過了，我少女時的夢想一點都沒實現，我的犧牲夠大了，剩下一點歲月，讓我找回我自己吧！」

你看過羅伯．J．華勒寫的《麥迪遜之橋》嗎？

笑死人了！那女主角跟丈夫在小鎮過了平靜的一生，居然真正讓她永難忘懷的，是丈夫不在時，偶然闖入她生活的一個男人。

幾天的激情，怎能換來她一生的懷念？

很簡單，因為她一生太平靜，因為她的生活太枯燥，也可能因為她的老公太無趣。

如果「哪一天」，她選擇跟「那個男人」，走了，你會驚訝嗎？

◉

看到這兒，你有沒有想想自己的生活？

你還有沒有「當年」的情趣？抑或你已經粗俗地十足是個「莽漢」、「潑婦」、「糟

老頭」、「歐巴桑」？

你會為吸引另一半而去健身、減肥，控制口腹之欲嗎？

妳會因為知道他喜歡「健康色」，而多曬曬太陽嗎？

你們還會兩口子單獨出遊，享受一點「自己的時間」嗎？

記住！婚姻是要經營的！

妳再忙，也應該保持自己的儀容；妳即使是家庭主婦，依然要追得上外面的潮流。

你即使在家上班，也得天天刮鬍子、常常理髮，不能只穿睡衣晃來晃去。

最起碼，你們一定要找機會，把自己打扮得十分體面，梳了頭、化了妝、噴上香水，再穿上西裝、晚禮服，出去應酬一下。

真正的目的不是應酬，是讓你的另一半「驚訝」地發現，原來在燈光下、燭光下，妳化起妝、他穿上禮服，還是那麼嫵媚、瀟灑。

你們雖然應該節省，但餐具還是該成套，而且要常替換。因為那是情趣、是變

化，而且同樣的食物裝在不同的餐具裡，能有完全不同的感覺。

你想想，今晚你捨棄以前的塑膠杯或喝水用的玻璃杯，為他端出放在瓷碟裡的一杯咖啡時，他的感覺有多麼不同。

人都追求感覺、追求新鮮、追求變化、追求品質。

婚姻也一樣，當你不再能用「性」去愛，就該用「情」去愛、用思想去愛。

人可以老化，但不能腐化；婚姻可以老化，也不能腐化。當你的婚姻有一天亮起紅燈，你永遠要想想，是他變了質，還是你變了質？

抑或你們兩個都沒有愛的能力，你們只懂「性」，不懂「愛」？

◉

如果你們已經四五十歲，你們要想想：

你們辛苦了半生，存那麼多錢，到今天，過的是怎樣的生活？你們的辛苦，除了為子女，還為什麼？

如果妳是女人，妳要想想：他前十年要妳幫他創業，中間十年要妳幫他攢錢，

再過十年，他還要妳幫他存，存到他死嗎？還是希望妳為他安排「怎麼花錢」？

否則，當有一天，他到老周家，發現自己辛苦大半生，連菜場裡有的水果都吃不到的時候，他會怎麼想？

同樣的，如果你是男人，你要想想：一個女人，跟了你，腆了肚子、彎了腰、駝了背、皺了臉、碎了夢，她一生快過完了，她還有什麼？

孩子笑著出嫁的時候，她哭；你笑著招待朋友的時候，她累；你老了，先走一步的時候，她送終。

剩下沒多少日子了，你該不該做點什麼？你成天在外忙，值不值？

還是一句老話——

你們有沒有愛的能力與智慧？

如果你不希望另一半有一天因為「想通了」，而離開你，你就要想想「你是不是該做一點改變」？

請今天就改，不要等！

第五章

女人的貞操就像箱子的鎖，
擋得了君子，擋不了小人。

無恥老豆的「恩情」

「對不起！對不起！」竇經理一邊打領帶，一邊對著鏡子裡的她說：「眞沒想到，眞沒想到……」

「沒想到什麼？」

「沒想到，沒想到……」竇經理轉過頭：「妳不是早有個男朋友嗎？你們不是在一起好多年了嗎？我還見過他……」

「見過他又怎麼樣？」想到他，她終於崩潰了，蒙著被子大聲哭了起來。

◉

事情都怪迪士尼樂園。

旅行團一路經大阪、奈良、京都，到了東京，今天一整天都是去迪士尼。

大家一早就出發了，只有竇經理，說因爲一路太累，留在旅館休息，太太帶孩

子去就成了。

還有她，前兩個月才去洛杉磯看「他」，順便遊了那兒的迪士尼，現在，他不在身邊，雖然有一窩子同事，她還是提不起興致。

中午，她去樓下餐廳吃飯，很高興，發覺竇經理也留守，還爲她付了錢。

「唉！一路累死了，留在旅館。」竇經理笑笑：「什麼旅館嘛！我打算洗個頭，卻連吹風機都找不到。」

「吹風機？我有，我帶了，借你！」

現在想起來，全怪她多嘴，要是不多說這一句，竇經理不會跑來敲門，也就不會……

◉

哭著哭著，她睡著了，夢見洛杉磯那一夜，他們互訴離情、摟著、抱著、親著，在最緊要的關頭，她說「不！我們還沒結婚。」他立刻說「對」，退縮了。

然後，她夢見老竇，現在才知道同事爲什麼都叫他「無恥老豆」。任她喊一百個

「不」，他都不退縮，終於突破她堅守了二十六年的防線。

突然，電話響，是老竇打來的。

「嘿嘿！妳還在睡呀？不要不高興了，我一定會好好提拔妳的。走走走，我帶妳去逛逛。」

喀，掛了，她還來不及反應，老竇已經來敲門，敲敲敲，不停敲。

◉

「哇！妳買了件新衣服耶！好漂亮，在哪兒買的？妳去逛街了啊？」珍珍回來，一邊打開衣櫃，一邊喊。

她沒吭氣，突然感覺一個毛絨絨的東西，嚇一跳。

「看！我買的獅子王！這麼大、這麼勇猛，妳抱抱看，多有安全感！」

珍珍一屁股坐在她床邊，先用獅子嘴對著她的臉，看她沒反應，又自己抱著端詳，自言自語：

「男人哪！就要像獅子，要勇猛，要敢！」狠狠拍拍她：「不要裝睡了，妳說

對不對！我最討厭那種軟趴趴的男孩子，好像有禮貌、一點不乾脆，像木頭似的。」

她蒙著頭，眼前浮起「他」，浮起一根「木頭」，也浮起另一頭無恥的獅子。

◉

「無恥」走到她桌邊，笑吟吟地：「聽說妳買了件很漂亮的衣服，怎麼不穿來看看啊？」

「我不喜歡！」她冷冷地說，無恥老豆沒說話，四周同事倒接嘴了：「不喜歡爲什麼買？」

連她老媽都問：「我看妳在日本買的那件衣服挺時髦，爲什麼不穿哪？」

在老媽的催促之下，她穿了，居然引得一屋子掌聲，連嚴肅的老爹都開了金口：「沒想到，我們家女兒這麼漂亮，這麼有風采。」老爹過來繞著她走了一圈，點點頭笑笑：「雖然裙子短了點，也還眞美。咱們家大丫頭，是愈來愈成熟了。」

「是啊！」她的大妹喊：「該嫁了！」

◉

第二天，早上猶豫了半天，穿了脫、脫了穿，她還是把那件衣服穿去了辦公室。

果然，大家的眼睛全亮了！

「哇！」幾個男同事跳了過來：「不一樣耶！不一樣耶！」

幾個女同事則過來又看又摸：「妳眞鬼！那天不去迪士尼，原來早有預謀，買了這麼一件性感的衣服。」

「是啊！味道都不一樣了！一定是喜事近了。」珍珍也笑：「她是買給她未來的老公看的。」

大家的笑聲引出了老竇，他眼睛也亮了一下，大聲笑道：「是漂亮！是漂亮！一定經過什麼高人指點，而且一定相當不便宜。」

是不便宜！要是她，從小節儉，怎麼也不可能出得了手，而且向來穿媽媽從菜市場和地攤買的衣服，一件件都老老實實的，哪敢買這種遮不住膝蓋的短裙？

不過，穿了這衣服，好像世界都改變了，連從來不看她的大樓警衛，都瞪著一雙金魚眼睛。

曾幾何時，她發覺，其實自己的腿比誰都漂亮。

◉

「妳的腿眞美！」這句話居然最先從老竇的嘴裡吐出來。

那一天，第一次，他就這麼說。

現在，他還是總這麼說，一邊說，一邊親，一路親上去。

老竇果然給她升了級、加了薪，還移了桌子，坐在老竇門口，成爲經理特別助理。

她陪老竇開保險櫃、開會、開標、開房間。

每次她在車上都喊：「我要跳車了！」

每次她都看著老竇開進汽車旅館的車庫，按鈕，關車庫門，再拉拉扯扯地把她拉進房間。

當然，她也有了更多的漂亮衣服。

連「他」暑假回國，都在機場驚艷。

◉

「他發現沒有？」老竇在車上沈沈地問。

「發現怎麼樣？」

「沒怎麼樣！怕對妳不好，我怕什麼？」

每次聽老竇這麼說，她都想過去一刀，把這無恥老豆宰了。

「哪天需要修補，我出錢！」老竇接著還是那句話。

◉

她沒去「修補」。但是他聽了老竇的話，那晚，硬灌「他」喝了點酒，摟著他、磨蹭著，終於把那「木頭」點著了。

「對不起！對不起！」當「他」爬起來，看見床單上的血跡，居然跟老竇說一樣的話，只是接著，他把她緊緊抱住，不斷喃喃地說：「我更愛妳了！我一定對妳負責，等我寒假拿到學位，我們就結婚！」

也跟那天日本旅館裡一樣，她用被蒙著頭哭了。「他」愈說，她愈哭；她愈哭，

他愈惶恐。

她哭她對不起他，也哭他的無知。當然，她也暗自慶幸，他沒發現這只是月事最後一天的出血，老竇這個無恥的狐狸，居然想出這種無恥的點子。

◉

她結婚了，成爲博士夫人。

婚禮上，老竇坐了首席。是證婚人。

「他」特別帶著她，舉杯敬老竇：

「謝謝竇經理對我們的照顧。」

「是啊！是啊！」她的老爹老媽也舉杯：「竇經理不但提拔我們丫頭作特別助理，下雨天，還常開車送我們丫頭回家。這世上，哪兒找這麼好的長官啊！」

你不可不知的人性

賓經理、老賓，我特別為他取了這個綽號——

「無恥老豆！」

這世界上無恥老豆有多少啊！這世界上又有多少父母和丈夫，如同前面故事中的「他們」，把無恥老豆當作好人、恩人哪！

這世界上更有多少年輕男孩子，有教養、有禮貌、有體貼、有人格，結果讓自己的愛人落在無恥老豆的手上。因為無恥老豆無恥，他沒有教養、沒有禮貌、沒有體貼、沒有人格，他硬上！

「男人不壞，女人不愛」，女人是真愛壞男人嗎？不見得，你應該說女人常擋不住壞男人，女人的貞操如同箱子上的鎖——擋君子，不擋小人。

也可以說，女人的「推」裡，常有「就」。

◉

女士們，請不要不高興，我今天談的是人性，怎麼能遮遮掩掩呢？

如果妳是位漂亮可愛的女士，我偷偷請問妳，妳有沒有遇到過那種「無聊老豆」或「無恥中豆」？

哪個漂亮女人的心裡沒藏有一堆男人的醜態？你單單從調查報告中，說有過半的女人被性騷擾過，就知道答案了。

男人的醜態，男人很難見到；男人見到的男人，往往都是「大男人」。反而是漂亮的女人容易見到男人齷齪、卑鄙，像饞狗一樣的醜態。

但是，女人不會說，她們不對朋友說、不對父母說、更不對丈夫說。

如同老竇講的「怕對妳不好，我怕什麼？」

◉

男人不是不怕，他只是知道「妳怕，所以我不怕。」

問題是，妳在辦公室裡張揚開來，去警察局報了案，對情人丈夫坦了白，真對

妳有利嗎？

除非那男人有頭有臉，他為了愛惜羽毛，會怕被妳扯出來。

所以，愈是沒身分、沒地位、沒財產、沒退路的男人，妳愈要小心。西洋有句俗語說得好：「謹防那些一無所有的老男人。」

因為他們沒臉沒皮，如同糞水稀泥，妳多凶多強，碰上，也惹一身臭。而他，沒損失，他不在乎。他甚至沒了青春、沒了希望。這世上有誰比「沒明天的人」更大膽？

所以，如果妳在公園裡，遇到個「星探」或「攝影家」，正對著荷花池拍照，看見妳，眼睛一亮，說妳真漂亮，接著請妳入鏡，要把妳捧成「模特兒」，妳可千萬小心。

否則改天，他請妳去他的攝影棚，妳進去，恐怕只見一支三腳架、一個三腳貓的照相機，和一個「三隻脚」的無恥老豆。

◉

男士們讀到這兒也請別不開心，我現在要換個角度——女人的醜態，女人自己也是見不到的，只有那可愛的，令她們心儀的男人見得著。

每個女人的矜持，都得看對象。如同一個慎重的投資人，手裡攥著鈔票，看著盤面，他總會在他認為恰當的時機鬆開手，把鈔票交出去。

一個被教育得太慎重、甚至膽怯得有些神經質的投資人，很可能失去最好的進場機會，最後實在忍不住時，撿了個人家不要的爛攤子。

你不能沒有的諒解

在這兒，又引出了一個尖銳卻也嚴肅的話題。

我必須勸告那些嬰兒潮時期出生的父母：

當你們談戀愛的時候，你們的心中總浮現早年的苦日子，還有你們吃苦耐勞的父母。於是，你們自己告訴自己，太追求時髦的女人不能娶來當太太，要娶就要娶「看來賢慧、內向的」。

在那個時代，沒有錯！

但是今天，你做了父母，你能再用自己當年，或自己父母當年的眼睛看這個世界嗎？你能再規定你的兒子穿他老爸的褲子，規定你的女兒穿三十年代的衣服嗎？當你的女兒能用隱形眼鏡換下她的「厚瓶底」，能花三萬塊換下她的塌鼻子；能縮短兩吋裙子，露出一雙美腿，而且吸引到條件好的終身伴侶。你又能反對嗎？

許多女孩子，條件好極了，卻嫁個人渣丈夫，或吃了無恥老豆的虧，就是因為她的家教。

她的家教不是不好，而是太好。於是，她手裡攥著錢、抬著頭，等了又等，最後當了炒手的替死鬼。

命運是要自己創造的。看到好的股票、好的工作，你會下手買、進去爭，憑什麼看到好的伴侶，你不能主動出擊呢？

◉

男人女人都一樣，固然我們說「男追女，隔層山；女追男，隔層紙」，那些敢於撕開紙、翻過山的人，總是第一個成功。

所以很多優秀的男人，被所謂的「賤貨」搶走了；許多好條件的女人又上了賊船。

我絕不是教父母讓女兒「賤」，而是建議大家，用深色絲絨的錦緞盒，把你的掌上明珠襯托出來，再把她交給最能保護她的人。

不要再因為孩子打扮得時髦而不高興，只要她穿得不俗、不賤、不過於暴露而造成危險，就讓她那樣吧！畢竟她找的是個年輕丈夫，而不是你這個年老的爸爸。

最有衝力、有才氣的年輕人，總欣賞那些同樣顯示膽識與感性的人。當你的孩子追時髦，也表現了他追新、追得上時代。想想，在千變萬化的未來世界，哪種人

能成功呢？

一個不喜歡「酷」的年輕人，可能是少年老成、沈穩持重，也可能最早被時代淘汰。

你希望你的孩子被淘汰，你又希望把你的掌珠放在破布袋裡，認為這樣才安全嗎？

◉

看了前面故事中的無恥老竇，如果妳是女人，有這樣的遭遇，請不要自責，也不要覺得孤獨，因為這世上有太多女人跟妳有同樣的遭遇。

妳要責怪的是這個社會，如果男人們都能不計較「發生的事」，哪個女人會不出來檢舉？哪個色狼又能逍遙法外？中國歷代，又何必有那麼多婦女先被外人強暴，再被自己人逼得懸樑。

妳要做的是：教育自己的女兒，謹防那些一無所有的男人，並且避免把女兒留置在有危險人物的地方！

妳更該看看統計報告，知道性侵害的往往是熟人，也可能在妳的屋簷下。

◉

如果你是男人。

請不要問你的妻子，她心底是不是也有那麼一串黑名單，過去的已經過去，你何必給她再次的傷害？你又難道能把自己的過去，都攤在她面前嗎？

貞操在內心，所以即使是妓女，也能有「二度貞操」，只要妓女能實實在在，百分之百地愛，也能被稱作「純潔的愛」。

我在《一生能有多少愛》這本書裡寫過——

「成熟的人不問過去……豁達的人不問未來。」

活在今天，最重要的是：

「你們現在是否相愛？」

第六章

矮子最愛看人的鞋子，
禿子最愛看人的帽子。
那鞋子是不是墊高的？
那帽子是不是遮禿的？

外交官夫人的內交

小陳最近眞是又興奮又緊張。

興奮的是部裡已經內定小陳外放×國。

緊張的是×國的鄭大使正好下禮拜要返國述職。

這眞是太要緊的時刻了，小陳心裡已經有了打算，他要在還沒上任之前，先給未來老闆一個好印象。

對這事，小陳很有把握，他自信是拍馬屁的高手。想到這兒，小陳得意地笑了：

「而且，我有一個漂亮的太太，娶她的時候我就相信，以她的風采，我也一定當得上大使，現在果然吧，我那美麗的老婆馬上就要做外交官夫人了。」

「外交官夫人有什麼了不起？」小陳的太太青玉撇了撇嘴，又忍不住地笑了：

「哼！還沒當上呢，先得服侍大老闆夫人，我不幹！」

當然，青玉還是幹了，她早就心想，自己有一天會當上外交官夫人。爲這一天，她已經不知道買了多少體面的衣服，練了多久的網球，又補了多少年的英文了。

◉

鄭大使夫人，哈哈！見面的時候，青玉一方面按照外交禮節趨前幾步，行禮、握手、問安，一邊心想「其實根本不像個『夫人』。」

當然這只是她心想，她早就告訴自己，一定要使出渾身解數，把大使夫人伺候得滿意無比。什麼叫「幫夫」？這就是幫夫！在「外交圈」內作「內交」，誰不知道外交官的老婆們，可以透過女人的「內線」，辦成許多男人在會議中辦不成的大事。

誰不知道，燒得一手好菜，也是大使夫人的必要條件。許多時候，把「衆家夫人」請回來用餐，順便將丈夫交代的「事情」，找個機會說出去，試探、試探，或放個風向球，也是外交圈常用的方法。

◉

一邊把菜端上桌，青玉一邊客氣：

「對不起啊！夫人，我只會做這點不成樣的小菜。」

「哪兒的話，這是鮑魚啊！在美國，買一罐墨西哥的『車輪牌鮑魚』，得花上一百美金，我們都吃不起呢！」

「哎呀！夫人太客氣了，等會兒我送您幾罐，我們多得是。」

沒等吃完，青玉已經偷偷請媽媽去買了四罐車輪牌鮑魚，包好了，放在門口。

◉

第二天，鄭大使夫人想去故宮。部裡雖然安排了座車，但是大使坐走了，幸虧青玉早有了安排。

「這是賓士四百耶！」大使夫人才出門就叫了起來：「妳的？」

「不！是我租的，特別爲您租的，我的那輛車，不能見人。」一邊說，一邊介紹開車的司機：「這是小許，我常租他的車。」

故宮回程，經過圓山飯店，遠遠看見網球場，夫人笑笑：「以前常在這兒打球。」

「現在還可以打啊！」青玉趕快接過話，回家立刻四處打聽，找到個網球俱樂

部的會員，當天晚上就向大使夫人報告，後天可以打球了。

◉

第三天，是採買的日子，鄭大使有一兒一女，少不得買點東西帶給孩子。

「您何必去百貨公司呢？」青玉在車上笑笑：「我可以帶您去一家，專賣法國時裝，而且不貴。」

不過她們還是去了百貨公司，因爲夫人忘了帶面霜。

所幸台北的百貨公司都有夫人用的那個牌子，而且賣化妝品的小姐比國外的還體貼，一邊介紹產品，一邊請大使夫人坐下，要爲夫人化妝保養。

「哎呀！哎呀！老臉了，還搽這些做什麼？」夫人笑著坐下。

「愈是老臉，愈要保養啊！」青玉笑道。

「說得也對！」夫人看著鏡子：「妳看，我這太陽穴兩邊，長了好多黑斑，眼袋也愈來愈大。」

青玉趨前，盯著看了看：「哎呀！黑斑不算多啦！我媽比妳多多了，而且眼袋

怕什麼？美容手術，一下子就沒了，還能附帶紋『下眼線』。」

夫人從鏡子裡看著青玉，笑問：「妳看，我眞有眼袋，對不對？」

「還好啦！還好啦！」青玉安慰地說。

◉

第四天，兩個人一早就出發了。

鄭大使夫人換上一套網球裝，短袖短裙。青玉嚇一跳：天哪！前幾天看她穿長裙，不知道，現在才發現原來大使夫人的腿那麼短、那麼肥。

「不好意思！不好意思！愈來愈胖，所以要運動。」大使夫人自己先說了。

「其實您也不胖。」青玉趕快安慰，「胖的人比您胖多了。」嘆口氣：「可惜您在國內只待一個禮拜，不然，我可以帶您去瘦身中心，一個月就能瘦下來了。」

大概就因爲胖，大使夫人才打十分鐘就叫休息，一邊抱怨天氣太熱，一邊好奇地盯著青玉：「我看妳的球技相當好，比我好太多了。」

「哪裡？哪裡？您過獎了。」青玉裝作不好意思：「其實我才打過三四次。」

「眞是天才！」

◉

第五天，大使夫人要做頭髮。

青玉找了一家台北最有名的美容院，又打著部裡的招牌，搶下一個師傅的時間。

「剪得好！剪得好！」大使夫人眞識貨，一邊剪，一邊讚美。

那香港師傅也嘴甜：「是您的髮質好。」說著摸大使夫人的頭髮：「中國人，像您這麼柔細的頭髮很少有。」

「算了吧！」大使夫人看著鏡子笑了：「都白了。」

「沒有啊！」香港師傅看來像個找玩具的大男孩，東看看、西看看：「我沒看見什麼白頭髮啊！」

「是沒什麼。」青玉在旁邊一張椅子上，轉過頭：「只有頂上一點點啦！」

「頂上一點？」大使夫人也轉過臉：「是啊？妳看到了，對不對？」

「那天您低頭我才看到，不注意是看不到的，您只要少低頭就成了。」青玉體

貼地說。

顯然對師傅十分滿意，臨出門，夫人特別拿了兩百塊錢小費，轉身回去，要給師傅。被青玉擋下了：「我來！我來！」說著塞了五百塊，在師傅手上。

◉

第六天，部裡有酒會。

青玉穿了她最美的晚禮服去，猩紅色的長旗袍，西式的翻領，從領口用碎鑽鑲出長長一隻白孔雀，到腰，再孔雀開屏，轉到背後。

「你瞧瞧，青玉多美。」大使夫人拉著鄭大使看：「這麼多天，都是青玉陪著我，她眞細心，也眞有才氣。」

「還是個美女。」大使笑咪咪地向小陳和青玉舉杯。

回家，沒進門小陳就把老婆抱了起來：

「謝謝妳，親愛的！妳眞是太棒了，我這次外放，一定會被大使重用了。」

◉

大使和夫人返回任所了，在機場青玉和大使夫人依依不捨地話別。

「眞捨不得我這好妹妹。」大使夫人依依不捨地說，青玉也裝作依依不捨的樣子：「所幸，我和小陳馬上就要去了，我們可以在那兒一起出去玩啊！」

「好哇！好哇！」大使夫人鼓了鼓掌，又對小陳揮了揮手：「眞令人羨慕，你有這麼好的太太！」

飛機起飛了。

小陳回程，一邊開車，一邊伸手摟摟老婆：「我也眞羨慕自己，有這麼好的太太，只是以後要繼續辛苦妳了。」

◉

青玉回家，立刻就辛苦了起來，一刻不停地收拾東西、採購食物，把那些國外可能買不到的乾貨全辦備了。

只是，外放的人事命令遲遲不發表，隔了三個月才發布，居然不是小陳。

小陳愣住了，跑上去問長官。

長官先不說，只是低著頭，過半天，抬起臉：

「我也不知道出了什麼毛病，正想問你，你太太是不是對鄭大使夫人做了什麼不禮貌的事？」

「沒有哇！怎麼可能呢？」小陳叫了起來。

「我私下告訴你吧！」長官沈沈地說：「鄭大使滿欣賞你的，可是大使夫人說了重話，她說衝你的老婆，你就不可能做好外交。要是放你出去，不用半年，邦交國的朋友全被你老婆得罪了……」

你不可不知的人性

看了這故事結局，你會不會想「天哪！什麼大使夫人嘛！她根本是禽獸！」

是啊！青玉一路伺候她，請她吃飯、打球，帶她美容、購物，她在機場還作出一副依依不捨的樣子，又當著丈夫和小陳的面，說感激青玉的話，怎麼才一轉眼，就翻臉不認人了？

不認人，倒也罷了，何必還在丈夫前面說壞話，而且說得那麼重，害小陳外調的希望落空。到底青玉做錯了什麼事？讓大使夫人認為衝著青玉，不用半年，就會把邦交國的朋友全得罪了？

◉

如果你確實這麼想，我必須對你說，你自己也該檢討了！你很可能跟青玉一樣，因為不懂人性，在無意之間得罪了許多人。

我可以告訴你，青玉確實不會做人，在前面故事中，幾乎她做的每件事都錯了，都錯在她不懂夫人的心理。

先讓我說個歷史故事吧！

據宋代葉紹翁的《四朝聞見錄》記載。

皇后有一天召秦檜的老婆入宮，在賜宴的時候有一道非常名貴的菜——淮青魚。

皇后很得意地介紹淮青魚，又問秦檜的太太王氏：「妳吃過這種魚嗎？」

王氏想都沒想，就說：「吃過，比這更大的都吃過。改天我給您進奉幾條更大的。」

王氏以為自己拍了皇后，回家立刻對秦檜說。

沒想到秦檜大驚失色：「這還了得！妳太不懂事了，只怕闖了大禍。」立刻叫僕人來：「快！去買幾十條大鯶魚來，明天送進去。」

「鯶魚？」秦檜的老婆不解地喊：「那是最便宜的，看來像淮青魚的草魚，怎麼能拿來當淮青魚進奉？會被殺頭的！」

「送淮青魚，才真會被殺頭！」秦檜罵了回來。

第二天，幾十條草魚送到了皇宮。

皇后看見魚，得意地大笑：「我就說嘛！怎麼可能有那多青魚？這王氏要是有

比皇宮更大的青魚，我倒真要相信人家說秦檜貪汙的話了！」

◉

好！看完這故事，你了解了吧！

你想想，一個禮拜之後，當鄭大使夫人離開的時候，她心裡會怎麼想？

她會不會想：「好傢伙！我買不下手的鮑魚，你一個小職員，家裡居然有一堆。我從來沒去過的美容院、瘦身中心，妳居然很熟？我坐不起的賓士四二〇，妳居然常租？還跟司機成了熟朋友？我現在進不去的網球俱樂部，妳居然說去就去？我小費給二百，妳一出手就是五百。」

她怎麼知道青玉咬了多少牙？

但是，青玉要面子，也要給丈夫撐場面，她不說那是她狠下心買的鮑魚、求朋友安排的網球場、打聽出來的美容院，以及首次租用的賓士車。

她要裝闊，裝自己見過場面，豈知裝出了麻煩，她不是跟秦檜的老婆犯了一樣的錯嗎？

你不能沒有的諒解

換個角度，如果當初她只是做幾道可口的家常菜，租個稍好一點的車子，自己開。告訴鄭大使夫人，她有個朋友正好是圓山網球俱樂部的會員，又說為夫人打聽到一家最好的美容院，本來進不去，但對方聽說是鄭夫人要剪，託夫人的福，就成了。

這感覺不是好太多了嗎？

談到開車，你要知道人都有個人性，就是不喜歡欠人情。

當青玉對夫人說「這是我特別為您租的」的時候，你以為夫人會高興嗎？

想想！如果你的孩子，對你說「我會為你用功念書」的時候。

你八成不高興地說：「書是給你自己念的！不是為我。」

對不對？

如果妳的男朋友對妳說「我辛辛苦苦打工，買這輛車，全為了接妳送妳。」

妳就算嘴上感激，是不是心裡也想：「你難道不是圖你自己方便嗎？我一共才坐多少時間，你卻成天在外面開著跑。」

如果你還未成年，你的媽媽對你說：「全是為了你，我不出去工作，天天在家守著你。」

你是不是也要不高興地講：「妳去工作啊！我不用你守著！」

如果你是個大男人，對老婆說「我作牛作馬，全為了這個家。」

你老婆即使不答話，是不是心裡也會暗罵：「難道我在家吃閒飯嗎？我可不比你輕鬆啊！」

記住！

◉

人最不能承受的重量，不是有形的重量，而是「無形的情」。

沒有人希望欠人情，沒有人希望背負著「人情債」。有些男女，甚至會因為受不了愛人對他（她）太多情，而離開。

於是你該了解，為什麼青玉租車，反而不見得討好。

她可以租，但絕不能多說。不可說我自己坐不起，特別為夫人租。

因為夫人不會願意「領她的情」。

相對的，人事命令還沒發表，青玉又豈能在機場對夫人說所幸她和小陳馬上就要去了。這是最犯官場忌諱的啊！

你不可不知的人性

這還不打緊，青玉更大的錯，是在百貨公司，當夫人自嘆「哎呀！老臉了，還搽這些做什麼？」「妳看，我這太陽穴兩邊，長了好多黑斑，眼袋也愈來愈大。」想想，青玉當時是怎麼答的？

她先說「愈是老臉，愈要保養。」又說：「哎呀！黑斑不算多啦！我媽比妳多多了。而且眼袋怕什麼？美容手術，一下子就沒了……」

乍看，青玉好像是在安慰鄭大使夫人，但換作你，你會怎麼想？

鄭大使夫人會不會想：「妳居然拿我跟妳媽比，妳把我看成幾歲了？」

天哪！得罪女人還有比這更好的方法嗎？

相反地，當時青玉如果說「根本沒什麼嘛？我都看不出來，而且我比您小十歲，您看來還比我年輕呢！」是不是好聽得多。

◉

更大的問題還不在此，而在當時夫人最後問的那句——

「妳看，我真有眼袋，對不對？」

如果你夠了解人性，應該知道夫人這時候的笑容裡已經帶有疑惑和怒火。

她疑什麼？

她疑「我果真讓外人一眼就看出有皺紋和眼袋了嗎？以前大家都不說，大家都騙我，現在眼前這個混蛋，居然說我真有了老態。」

如果大家都騙她，而青玉說實話，青玉不是很好嗎？

這也就是夫人發怒的了，她怒的是——

「妳為什麼說實話？妳為什麼不跟別人一樣撒個小謊，讓我高興？妳太不懂女人心理了！」

◉

何止女人如此？男人也一樣！

我有個朋友去迪士尼樂園，回來說：「不得了！不得了！這兩年美國太富裕了，大家都吃得太多，園子裡放眼望去，全是胖子。」

問題是，果真如他所說嗎？

他錯了！其實不是美國的胖子增加，而是因為「他自己」胖了。他自己進入中年，日漸中廣，正在努力減肥。他每天注意自己的胖，也就特別注意別人的胖。當他看見別人比他胖的時候，他就開心。

◉

這就是人性，一種非常特殊的人性。

當一個人對你關心地說：「你好像頭髮稀疏了耶！早上起來，枕頭上是不是有不少頭髮？」

你先看看，他是不是也已經開始禿，只怕他比你掉得更多。

如果真是，你不妨說：「哎呀！什麼年歲了？當然掉了，我隨它掉，禿頭反而性感。」

你沒有說半句假話，沒有說自己「根本沒掉」，但是給對方的感覺卻好極了。

你難道會笨到說「我才沒掉呢！你看！密得像二十歲的小夥子，我看你倒是有點禿」嗎？

你這麼說，就犯忌了。

因為「他」原來希望藉著你的「同病相憐」，來減少他自己的失落感，你不但沒幫助他，反而加重了他的失落。

如果你接著跟他談合作，好談嗎？

◉

一個總叮囑你「你要吃××補品，要練××功。」然後說「我自己就吃、就練，而且是個見證」的人。

你注意，他八成不健康。

愈是強調「我好健康、我好平安喜樂」的人，愈可能是個「不健康、不平安喜樂」的人。

他要是健康快樂，他何必說呢？

同樣的道理，如果有個朋友總主動指導你夫妻相處之道。

他講的可能非常有道理。但是你千萬不可因此而認為他的婚姻關係很好。

人因為「困」而「思」、而「學」。他可能正因為婚姻關係不好，所以朝思暮想，想出許多夫妻相處的方法。

如果那方法很管用，他不會主動對外人說。只有當你問他的時候，他才說。

相反地，當那方法不是多麼管用的時候，他反而會主動地問你：「喂！你跟另一半好不好啊？你們說不說話啊？我跟你講，夫妻到了中年，就得……才能維持……」

他說了一大堆，你猜，他的目的是什麼？

往好處想，他希望你別走上跟他一樣的路。

往壞處想，他想從你嘴裡聽到，你也不好，於是他覺得不孤單。他也希望你試試他的方法，看那方法對你管不管用？

只怕他自己用了不管用，你用了管用，他反而覺得失落。

你不能沒有的諒解

現在，我必須很大膽地把話題帶到一個更尖銳的地方。

先讓我說個故事吧！

某人有房招租。一對夫妻來看房子。某人問他們的職業。

對方答：丈夫的事情不固定，太太在教會工作，兩個人都是虔誠的教徒。

某人心想「衝那丈夫的工作不固定，我不能租。但是想想那太太在教會工作，二人都虔誠，我也是教友，就租給他們吧！」

某人點了頭。

接著，那對夫妻又要求免押金，但是保證每月準時繳房租。

某人想了想，看他們一副好人的樣子。又點了頭。

第一個月，房錢拿了。

第二個月，稍遲，但也如數付了。
第三個月，那丈夫失業在家，欠了。
第四個月，那丈夫還在家，又欠了。
連欠四個月，某人冒了火，叫他們搬。
他們不搬。
某人要律師送出存證函，準備告進小法庭。
沒回音，某人去看，沒人應門，用備份鑰匙打開門，早已人去房空。
某人想到那女人在教會工作，追去教會，教會說幾個禮拜不見人了。
那對夫妻再也沒在教會出現。
某人從此，也不去教堂了，他開始恨所有的教徒，說他們是「假貌偽善」。

◉

看了這故事，你說某人對嗎？
他當然不對！因為他不懂人性，他不了解什麼叫「人」。

每個人都是人，也都是平凡人。無論你做什麼事、信什麼教、講什麼道、教什麼課。你都是個人。

人就都有人性，有人性的光輝，也有人性的黑暗；有人性的崇高，也有人性的醜惡。

你的「性惡」總和你的「性善」交戰。

譬如你的孩子，交了你不欣賞的男朋友，你氣瘋了，說孩子要是跟他交往，你就斷絕親子關係。

孩子不聽，居然偷偷打好包，私奔了。

你果然要脫離親子關係。

這時候，你的「性善」出現了，說「你當年也是私奔的」，說「血濃於水」，說「你該寬恕」。

你上教堂，在禱告時背到〈主禱文〉——「赦免我們的債，如同我們免人的債。」你心裡的「交戰」更強烈了。

於是，你一邊祈禱，一邊痛哭。

◉

現在，你說，你在祈禱之後是不是立刻會寬恕你的孩子？

◉

答案有兩個——

一、你因為宗教的力量與反省，而寬恕了。

二、你沒能戰勝自己的「怒火」，你還是沒有寬恕。

這兩個答案，也就說出了宗教的力量。

宗教可以幫助你做個寬恕人的人，也可能力量不足，結果，你還是你，你還是情斷義絕。

問題是，如果你是前面故事中租房子的某人，你去教堂，看見那惡房客一邊祈禱、一邊痛哭，你能因此說「看！他多虔誠！他不會騙我」嗎？

◉

當那房客仍然跑掉，你又能因此而怪罪教堂、怪罪神嗎？

明朝洪自誠在《菜根譚》裡說得好——

「談山林之樂者，未必真得山林之趣；厭名利之談者，未必盡忘名利之情。」

當你發現一個人總對你說要澹泊名利的時候，你千萬別以為他真的恬淡寡欲。

他說不定正像鄭大使夫人，當她說自己老了，用不著搽保養品的時候，她正在拚一切力量來維持自己的青春。

愈是有矛盾的人，愈要掙扎。

你千萬別見他掙扎，反而以為他沒有矛盾。

愈是不快樂的人，愈說自己快樂。

你千萬別聽他說快樂，就以為他真的無憂。

只怕，他們更矛盾、更不快樂。

也只怕，當他們打完禪七，回來，因為能更冷靜思考，於是大刀闊斧、重整企業，減薪裁員。

你反而被裁員，走路了。道理很簡單——

因為每個人都是人。人用人的方法去「寫經」、去「解經」，宗教是為人服務的。它固然說是要帶你上天堂、升佛國、去淨土，但更重要的，是它要幫助你在這個世界上活得更好。

宗教絕對可以改變人，但是它不能改變人性。

人性的「自私」與宗教的「大愛」掙扎，有成功，也有失敗。

◉

寫了一萬多字，最後，我要強調：

有「善心」的人，未必有「善行」。他們常常是「只求獨善其身，不能兼善天下」的好人；也可能是「知榮知辱牢緘口，誰是誰非暗點頭」的鄉愿。

反過來說：

「有善行」的人，未必「有善心」。

許多行善的人，是為了沽名釣譽，彰顯自己有愛心、有財力。或者為了尋求內心的平靜，取得淨化的作用。

但是我們可以肯定地說：

有善行的人，即使是偽善，也比那些只有善心，卻沒有一點善行的人高明，因為——

無論如何，善行是真的。無論如何，他行了善。

◉

一個人，信什麼、說什麼，都不能成為神。

但是，如果你雖然不信什麼、不說什麼，卻能做好事、做好人。

就算你不能進天國，最少，你已經在這世間，以「向善」戰勝了「向惡」。

心理學家說得好——

「一個沒有任何信仰，卻能活得快快樂樂的人，就好像不吃任何藥，卻能活得健健康康的人一樣，毋寧說：他們過得相當不錯。」

第七章

如果你是醫生，
當你打開病人的肚子，
發現他沒病。
等他甦醒之後，
你該告訴他是你誤診，
還是「手術成功，保證痊癒」？

謝不殺之恩

皇上最近有些心神不寧，倒不是爲了蒙古人經常犯邊，而是不知該派哪個大將前去鎮守。

其實皇上心裡早有中意的人選，只是……只是兵部尚書王翺，當年打江山時，一塊出生入死，還救過自己一命，如今正是該好好享清福的時候，聽說他家裡前不久才挖了荷花池呢！

當然派他去，就算他心裡不願意，也不敢不從，只是同一輩的那些老袍澤，難免要說話。何必呢？老了老了，還要派他去戍邊，草木不生的大漠，根本就是放逐嘛！

◉ 不過提到放逐，倒眞觸動了皇上的靈感。

早朝才過，皇上就把王翦宣了進去，茗茶珍果棋盤一如往日，但是一局棋未完，皇上卻悄悄地從袖裡掏出個紙條，遞了過去：

「我這兩天心神不寧，全爲了這個，其實沒什麼，你看看也好！」

王翦打開紙條，面色大變，渾身顫抖，仆倒在地：「這是冤枉啊！臣斗膽也不敢有貳心！聖上明鑒！聖上明鑒！」

「我也不信！可是舉報得倒也眞詳細。」皇上拍拍王翦，把滾落一邊的帽子遞過去：「既然有人忌諱你在京畿，出去避避也好！」

◉

「老驥伏櫪，志在千里！」

「不愧是一代忠臣、一員勇將！」

兵部尙書王大人，自請鎭邊的消息，一下子傳遍京師。「據說皇上還當著文武百官的面，勸王大人不要去呢！又比喩王大人是今之廉頗，滿門忠烈，必有餘慶！」

◉

王大人確實是滿門忠烈，連他死在任上的時候，都握著妻兒的手‥記住啊！皇恩浩蕩！要不是皇上顧念舊情，我們早滅九族了！所以這九族的人，都該感謝皇恩哪！

九族的人不但感謝皇恩，更感謝王大人的死，畢竟大家可以「半夜敲門心不驚」了！

你不可不知的人性

什麼叫做「謝不殺之恩」？

王翦功在國家，半輩子跟皇上出生入死，皇上的天下可以說是王翦幫他打下來的。王翦只有功、沒有過，只想平平安安地頤養天年，皇上憑什麼殺他？他本來就

不該被殺，又何須「謝不殺之恩」呢？

如果你這麼想，你一點沒錯。問題是「謝不殺之恩」的妙，就妙在「沒事找事、沒碴找碴」上。

◉

「謝不殺之恩」是人性。

想想，如果你把小娃娃，高高舉起，突然鬆手，讓他掉下來，再及時把他抱住，他是不是會由驚呼，轉為興奮地笑。

想想，如果你去坐雲霄飛車，車子答答答答地開到「最高點」，再突然往下衝，你看著下面那驚心動魄的景象時，是不是會閃過一念——我這是幹什麼啊？自己找罪受。

還沒想完呢，飛車已經衝下去，你張大嘴驚叫，一路忽上忽下、左轉右彎，差點魂飛魄散，突然，車速減慢，到達了終點。

那時候，你又怎麼想？

你想：「哇！到站了，我活著回來了！沒想到，不怎麼樣嘛！我根本不怎麼怕嘛！」然後，你轉頭，問朋友：

「要不要再坐一次？」

◉

沒事找事、沒罪找罪受，都是人性。

謝不殺之恩的道理也一樣——

你過得好好的，突然公司辦員工體檢，照完X光，醫生神色凝重地把你叫去：「我看到個陰影，怕不是什麼好東西，為了確定，你最好把以前的X光片全調來給我看看。」

你擔心地問：「會不會是癌呀？」

醫生沈吟了一下，拍拍你：「別急，就算是，那位置在最上面，動手術也容易……」

你急了，把曾經去過的醫院全跑遍了，一家家借調出自己的X光片，有些醫院

還刁難，要你花一把銀子「翻片拷貝」。

你開始想後事，開始到書店找資料，查癌的症狀和痊癒的機率。愈看，你愈是渾身冒冷汗；愈冒冷汗，你愈覺得自己近來確實虛弱了。

終於把X光片收齊交給了醫生，看他慢條斯理地掛上「光箱」，左看看、右看看，你的心一下子落到谷底，好像一條腿已跨進棺材裡。

醫生這時抬起頭，說：

「你可以回去了，沒事了！只是老的鈣化點，二十多年來，都沒有變化，不是癌！」

你會怎麼樣？

會不會趕快謝謝醫生，鞠躬再鞠躬地離去。

你太感激他了。在你的感覺中，他好像是再造父母，他好像代上帝宣判，他使你一下子脫離了死亡的陰影，他太偉大了！

◉

問題是，他真的那麼偉大嗎？

你過得好好的，只怕是他的經驗不夠，硬把鈣化點看成癌的可疑點，（當然也可能是他比較慎重）然後把你嚇得半死，連著幾夜失眠，人都瘦了一圈。

幸虧你沒有憂鬱症，否則只怕沒等他「宣判」，你先想不開，尋了短。

他不是害了你嗎？你為什麼還要感激他呢？

甚至經過這個「打擊」，你的人生觀都變了，以前你為事業拚命，難得在家。可是經過幾個失眠夜，你起身看看太太，再打開房門，看看熟睡中的孩子，突然發覺自己沒能好好陪陪妻兒。

於是，從此，你放慢腳步，天天回家吃晚飯了。

現在，讓我們回頭想想，這個改變，不是因為「沒事找事」造成的嗎？

當你知道自己沒得肺癌，不是有「謝不殺之恩」的感覺嗎？

所以我說——這是人性！

◉

人很妙！

一盞一直亮著的燈，你不會去注意，但是如果它一亮一滅，你就會注意到。每天吃飯、睡覺、上學、上班，你不會覺得自己幸福。但是當有一天你遭遇了大病、失業、失學、失親，然後，事情過了，你突然對眼前的一切特別珍視。你覺得太感謝老天，覺得老天太厚待自己，覺得自己太幸福了。

這就叫「人在福中不知福」，只有當某一天，把你拉出福去，你才懂得。

這也是有一首流行老歌——〈思念總在分手後〉的道理。當兩個人天天在一起，愈來愈覺得平淡，直到厭了、分了，才突然發覺「過去的深情」。

◉

工作也一樣。你會發現許多人有著令大家羨慕的工作，但是某一天，他居然辭了職。

最後，他另找工作，卻再也找不到像過去那麼好的。

你可以猜：那時候，他一定會偷偷後悔。

問題是——這是人性。

人天生就喜歡冒險、喜歡新奇，喜歡雲霄飛車的感覺，也可以說人天生就不喜歡「過度的平靜」。

所以，你處在一個隔音室裡，四周一點點聲音都沒有，你不見得感覺寧靜，你反而會聽到一種近乎耳鳴的喧嘩聲，從你身體裡面發出。

相反地，如果你置身在森林，有竹韻、松濤、鳥囀、蟲鳴、水流，你卻覺得寧靜極了。

人不能長處在平靜之中，太平靜、太沒變化，會使人不安，甚至發瘋。

於是聰明的醫生，當你沒病找病，去找他訴苦的時候，即使他一眼就看出你沒毛病，他也會細細地聽聽、打打、敲敲、壓壓，再神情嚴肅地開幾味藥（天知道！可能只是維他命、鎮靜劑），又叮囑你「過兩個禮拜再來。」

兩個禮拜之後，你又去了，他再細細檢查，笑說有進步，又開藥，又要你隔週再來。

你又去了，他檢查、再檢查，拍拍你的肩：「恭喜你，病全好了。」

你豈不是感激涕零，要謝謝他這位神醫嗎？

天知道，你從頭到尾完全不清楚自己得了什麼病、吃了什麼藥。你根本沒病、不必吃藥。

可是，你真該謝謝他，因為他使你「謝不殺之恩」，使你覺得「失而復得」，甚至使你知道「惜福」。

所以，你要知道那些沒病找病，總往醫院跑的人，其實也是去看病，只是他們可能掛「腸胃科」的號，看「精神科」的病。

話說回來，他們如果碰到個不懂病人心理的醫生，摸兩下，說「你根本沒病」。他們反而要不高興，怨這醫生不聽他「傾訴病情」，說這醫生不認真。接著，他們可能換去找別的醫生。

道理很簡單——那位好醫生，沒能治他們的心病。

你不能沒有的諒解

《老子》說得好——

「欲取之，先予之」。

你也可以講「欲予之，先取之」。

甚至可以說「先取之，即或不予之，對方也會覺得你予之了。」

懂得對付小孩的父母，看見孩子們玩得正高興，明明心裡想，再讓他們玩十分鐘，就得回家。可是嘴裡會先喊：

「收拾你們的東西，晚了，該回家了！」

小孩裝出哭的聲音，開始過來求情。

「好吧！好吧！讓你們再玩十分鐘。」妳說。

「謝謝！謝謝！媽媽好好喲！」

妳很高明！對不對？

◉

懂得領導的長官，會隔一段時間就來個變動，再不然變動工作、再不然換換位子。

明明員工表現平平，無功無過，也要有小小的獎懲，於是懲了，他們會傷心；跟著獎了，他們又高興。他們會猜你換工作的目的；他們會猜位子是否代表尊卑。最起碼，工作換了，心情換了，他們變得更謹慎、更認真。

長久待在一個職位容易出的弊端，因為換手，而使「毛病」顯現。那些要搞鬼的人，心想隨時可能換手，也多些顧忌。

你很高明！對不對？

◉

懂得經營大企業的老闆，絕不提早發布「今年會發多少年終獎金」的消息。因

為當你這麼一說，就變成了「當然」，你當然得信守諾言，當然得「如數發給」。

於是，從你說，你就欠員工的。

反而是，你可以先放空氣，說今年的景氣不好，怕發不出來，甚至有可能裁員。於是人心惶惶，員工非但不再指望發多少年終獎金，而且只怕自己被裁。

結果，當你不但不裁員，反而說「虧損由我吃下，員工福利不可少」，而再多多少少發了些獎金時。

你得到的是掌聲，是感激，是坐雲霄飛車，嚇得半死，終於到站的笑容。你很高明！對不對？

◉

「謝不殺之恩」就是這樣，明明該是他的，你非但不給，而且先拿走。如果他有十塊，你拿走八塊，再還他五塊，你明明還是拿走了三塊，他反而會謝你。

如果他有十塊，你拿走了兩塊，不再還他，他一定會恨你。

這就是人性！人性多麼可悲啊，人居然像猴子，由「朝三暮四」，換成「朝四暮

三」，換湯不換藥，猴子就會高興。

對！人民也可能像猴子，懂得這人性的官員，總知道隔一陣「來一下子」。

於是，你覺得他總在注意你，關心你、垂憐你、拯救你。

於是，你感恩戴德、高呼萬歲。

你豈會想到，那本來就該是你的，是他「該你的」，是你「該得的」，是他「該做的」。

問題是，搞政治的人，如果不懂人性，他還搞什麼？

問題是，做人民的人，如果沒點合理與不合理的變化，生活還有什麼意思？

政治家，是多麼高明啊！不信？就用我下面這個在十三年前就已經寫好，卻遲遲不敢發表的故事，作個註脚吧！

噓！我殺你，但請你別出聲

某專制國家的元首，將國營事業負責人叫到面前。

「回去立刻宣布，從明天開始糖價上漲百分之三十！」

「天哪！這怎麼了得！」負責人大驚失色：「報告元首！糖是民生必需品，驟然漲價，怕會引起民怨哪！而且食糖由於是政府專賣，沒有競爭，現在每年都有非常多的盈餘，只怕讓百姓知道了也不好！能不能慢慢漲價，不要一下子漲這麼多……」

「不要囉嗦！我說漲價，就是漲價！」

眼看元首毫無收回成命的意思，國營事業的負責人改變了一個姿態，緩緩趨前，小聲地說：

「您或許早注意到了，最近您在民間的聲望正在下跌，是不是要考慮，再這麼

一來，聲望會更……。」

「你想抗命不成？」元首霍地站了起來，旁邊的衛士也都逼前一步，嚇得那負責人連連後退：

「不敢！不敢！我立刻回去宣布！」

負責人才走到門邊，元首又大吼一聲：

「記住！不准說是我命令你這麼做的，要當你自己的決定！」

「是的！是的！」

◉

新聞發布了！果然全國譁然，眼看整個物價都要受牽連地上揚。突然，元首令下：

「國營事業負責人撤職查辦！食糖調回原價，有關民生，絕不能輕言漲價！」

負責人背了黑鍋，卻又不敢張揚，匆匆收拾好抽屜，離開辦公室時，竟連向他道別的人都沒有，就是機要秘書，也狠狠地在背後咒一句：「自作孽，不可活！」

至於那眞正自作孽的元首，在民間的聲望居然一夜之間大漲，甚至到達歷年來的最高點：

「眞是英明的領袖啊，他永遠與人民站在一起！」

◉

兩年後。

被冷藏多時的前國營事業負責人，又被元首叫到面前：

「辛苦你了！爲了補償你的損失，我將要給你一個很高的職位，比以前高得多！」

前負責人既委屈、又感動，頓時淚下。

「別難過了，想想看！兩年前那件事，誰也沒損失啊！反倒是你得到大的升遷，我得到高的聲望，人民得到英明的領袖！」元首安慰地說。

◉

新的職位被發表了。人民的反應不一，有的大叫：「這種人怎能再任用？」有的人點頭：「必是兩年來有了反省、受到改造！」

但對於元首，沒有人不豎起大拇指：

「眞是偉大的心胸！兩年前元首的聲望差點被那人搞垮，而今居然能不計前嫌，眞是以德報怨，了不起呀！」

第八章

她是有風韻，不是有風塵；
他是很豪邁，不是很江湖。
她是上班族，不是上班的；
他是出身貧寒，不是出身卑賤。

良心被狗吃了

【故事一】

「朱太太！妳家小寶有這種橡皮擦嗎？」楊太太把橡皮擦遞過去。

「好像有耶！眞漂亮，日本做的。」朱太太接過來看了看：「我看到小寶鉛筆盒裡有。」

「不是妳給他買的嗎？」

「不是，好像是他同學送的。」朱太太笑笑：「這年頭啊！小孩子很浪費，亂送東西。這麼一塊橡皮擦，我看一百塊都買不到。」

◉

才回家，楊太太就撥電話給王媽媽了：

「王媽媽，我去問過了，朱太太沒給她兒子買那種橡皮擦，但是她看到小寶有，

說是小寶同學送的。」

「小寶可眞會撒謊。」王媽媽哼一聲：「妳沒跟朱太太說她兒子的橡皮擦是偷我孫子的吧！」

「我沒說，我不敢說，怕她生氣。」

「對對對！朱太太好面子，不能直說。」

「可是不說也不好吧！」楊太太有點操心：「小寶總在妳家我家跑來跑去，要是手腳不乾淨……」

「是啊！」王媽媽回頭看了看自己的骨董櫃，猛點頭：「麻煩大了。」

「這樣吧！」楊太太想想，說：「明天小寶來我家，我私下勸勸他，就不用讓他媽知道了。」

王媽媽高興地喊：「對！私下說說那孩子就成了。」

◉

「我沒偷！我沒偷！」小寶居然不承認。

「你沒偷，王奶奶爲什麼說她孫子的橡皮擦不見了，就在你那天去她家玩的時候不見的？而且跟你那塊橡皮擦一模一樣。」楊太太有點火了。

「我的橡皮擦是我媽媽去前面小店買的。」小寶眼睛一瞪：「當然會一模一樣。」

「好傢伙！你這個小鬼。」楊太太指指小寶的臉，得意地笑笑：「我就猜到你會這麼說，所以啊，我先去問過你媽媽了，她說沒給你買過，還說你對她說是同學送的。」

小寶怔住了，隔了兩秒鐘，突然放聲大哭了起來，外套都沒拿，就衝出門，跑回家去。

◉

才一下子，朱太太就帶著小寶出來了，直直地進了楊家：「姓楊的，妳說我兒子偷東西？」

「沒偷我的，偷王家孩子的。」

「偷什麼？」朱太太的臉脹成通紅，吼聲把四鄰都驚動了，紛紛探出頭。

「偷什麼？偷橡皮擦——」朱太太把「擦」字拉得特別長：「就是我給妳看過的那種很貴的橡皮擦，妳不是說他講是同學送的嗎？」

「橡皮擦？」朱太太尖叫了起來：「姓楊的！妳不要含血噴人，我告訴妳！我跟妳沒完沒了。我兒子的橡皮擦是我買給他的，妳兒子的橡皮擦才是偷的呢？」

狠狠一脚踹開門，拉著小寶衝了出去。

【故事二】

「一句話！一句話！告訴你女兒，到台灣先打個電話給我，以後有什麼事，也都找我，我一定會好好照顧她的。」

放下電話，老曹對太太聳聳肩：「以前大學同學，二十年沒消息，原來早移民去了美國。」

「現在有消息，一定無事不登三寶殿，對不對？」曹太太笑了笑。

「他女兒上大學了，要來台灣學中文一年。」老曹從書架上找出同學錄，翻到

小吳的照片。

「還長得不難看嘛！」曹太太瞄了一眼。

◉

那女孩長得更漂亮，比她爸爸還好看。大概在美國，牛奶牛排吃得多，尤其迷你裙下兩條腿，又直又長，美極了。

「在台灣，住哪兒啊！」老曹關心地問：「要不要到曹叔叔家來住？」

女孩子，左歪歪頭，右歪歪頭，一笑：「好啊！」當天就搬了一堆行李來。

「誰要你多話！」曹太太偷偷數落老曹。

「我沒想到她會眞來了！」老曹攤攤手。

這美國丫頭一來，老曹家全亂了。

老曹不能再穿著BVD在屋裡晃。

兩口子深夜不能再看A片。

尤其操心的，是才上國中的兒子，每天一回家，第一句話先問：「吳姐姐在不

在？」

所幸，沒住半個月，美國丫頭說找到了教英文的工作，在內湖，交通不便，搬走了。

◉

這一去，就半年，沒消息。

老曹打了兩次電話去，都是錄音。也沒回話，後來試著深夜撥，還是不在。

不久，接到老同學電話。

「我找不到她。」小吳在那頭喊：「怎麼深更半夜都不在呢？拜託你，幫我多注意一下。」

沒她的地址，老曹只好跑到那丫頭念中文的語文學校去看看。

「這個學生。」語文學校的人翻著名冊：「早就不念了。」

◉

老曹急了，立刻向美國的小吳報告。

小吳跳了起來，在那頭央求老曹：「好同學啊！求求你，幫我找找。我這兒實在走不開，我老婆要是知道，非急死不可。」

才掛上電話，那麼巧，居然就有了吳家丫頭的消息。

電話是另一個女孩子打來的。

「曹先生，是吳小姐叫我打電話給您，她現人在××分局。」

「××分局？」老曹的心臟差點跳了出來：「怎麼會去那兒。」

「她跟幾個朋友去一家PUB玩，被抓了。」

老曹立刻趕去××分局。

「別人都回家了。」分局的警員說：「但她是美國籍，由外事組辦，過兩天，我們直接把她送到桃園機場。」

「她犯了什麼法？」

「犯了什麼法？」警員笑了：「你連她在做那個都不知道？」

「她只是到那家PUB玩！」老曹說：「我知道！」

警員沒說話，拿出了一個本子，和一疊名片，指給老曹看：

「去玩玩，還印名片？還上花名冊？」

◉

美國丫頭終於上了飛機，老曹卻幾夜沒能睡。翻來覆去地想。

「打不打電話給小吳呢？打電話，我說不說呢？」

老曹還是撥了電話去，把事情一五一十地說了。

那頭先不吭聲，隔了半天，沈沈說了幾個字：「你確定？你搞清楚了？」

過兩天，老曹算著那丫頭該到了，又撥電話去。

接電話的居然正是那丫頭，一聽是老曹，立刻交給了小吳。

還是沈沈的聲音：

「老曹，你以後沒事，少打電話來，你那一家對我女兒怎麼樣，我女兒都說了。還有，我女兒受冤枉的事，你沒幫忙，還亂說話，你要是再讓我聽到，我非修理你不可。」

喀，電話斷了。

隔了好一陣，老曹愈想愈不是滋味，又撥去美國。

妙了，跟那丫頭一樣，電話先是沒人接，跟著被剪了線，小吳一家都不見了。

你不可不知的人性

上面這兩個故事，你從「理」的角度想，兩家的父母不但不該發脾氣，還應該感謝楊太太和老曹。

但是從「情」的角度想，你可能又覺得他們「發怒有理」。

你為什麼覺得有理？

因為換作你，你也可能不高興。

這就是人性，在維護自己尊嚴的前提下，一個普通人可以變得「不識好歹」，一個領導者，可以變得「不守然諾」。

◉

不知你有沒有讀過這樣的故事，或看過這樣的電視情節。

臣子吞吞吐吐地對「主子」說：「我聽到對方在辱罵您。」

「他們說什麼？」主子問。

「小的……小的不敢說。」

「你說！」

「我說了，怕您會發怒，小的真的不敢說。」

「你給我大膽說！」主子想辦法壓住怒氣：「我不會怪你。」

「他們說您是婊子養的……」

話還沒完，主子勃然大怒：「什麼？拉下去！給我斬了。」

◉

好！你說這主子是不是「不守然諾」？

他原來早打算好，聽完這臣子的話，就把臣子殺掉嗎？

不會！他原來確實想，只要臣子說出來，不會怪罪臣子。

但是，當話被轉述出來，太難聽了！對於一個「主子」、一個「聖上」、一個「真命天子」。什麼比說他是婊子養的，不但不是真龍天子，還出身不乾不淨，來得傷害大呢？

大家都是人，憑什麼我是「主子」，你是「臣子」？

就算我的武功好，雙拳難敵四手，來個四十隻手，這「主子」也非輸不可。

「主子」之為「主子」，全靠他那點名，甚至他那點自己編的神話。也正因此，當年跟他穿一條褲子、打天下的老臣，凡不把「平起平坐」的眼神，改成「仰望聖上」的，全都會被他除掉。

知道他底細的全滾了，或全「噤聲」了。

他成了真命天子、神聖不可侵犯的神人。

這時候，當你說有人講他原來是婊子養的，他能不把你除去嗎？

他可以「不守然諾」。雖然「君無戲言」、「民無信不立」，但是與主子的「尊嚴」比起來，「信」已經不重要。

◉

現在我們回頭想想。

朱太太和老吳難道真不知好歹、不明是非嗎？他們為什麼突然翻臉？甚至從此絕交。

道理是一樣的，因為在這個時候，「面子」比「裡子」重要。他若不翻臉，他就面子裡子全輸了，他就再也難翻身。

什麼叫「再也難翻身」？

再難翻身就是事實證明她兒子偷了東西、他女兒做了見不得人的事。

當他們一下子跟你絕交。事實就像斷了線的風箏，只要你不再繼續追，或你追，而他們死不承認，也就不了了之了。

◉

「再也難翻身」是一個最重要的關鍵。

讓我舉一個實例——

國畫大師黃君璧在世的時候。

有一天，一位貴婦，拿了四幅從國外買的古畫，請黃大師鑑定。

四幅畫都是價值連城的「傳世之作」。

黃大師沒看畫，先問：

「這些畫您都已經買下了嗎？」

「買下了，」那老闆娘得意地說：「真是花了相當多的錢，搶回這幾件國寶。」

說完，指示三位隨從把畫打開。

第一幅，展開一半，黃大師就搖了頭：「假的！」

第二幅，全展開了，黃大師又瞄一眼、嘆口氣：「假的！」

第三幅，打開來看了半天，黃大師說：「這畫家的作品，我不內行，雖然說不

準，但是看得出畫上的筆法相當老練。」

第四幅，才展開三分之二，黃大師就叫好：「這幅好極了！」

那個闊太太雖然有點失望，但想想有兩幅八成是真蹟，還算安慰，便帶著隨員高高興興地走了。

才走，黃大師就嘆口氣：

「冤枉啊，冤枉啊！花了那麼多錢，四幅都是假畫。」

我當時不解地問：

「既然您知道都是假的，為什麼不說呢？」

黃大師笑笑：

「她對自己的眼光那麼有自信、又已經花了那麼多錢，而且當著她的那麼多部屬，我能說全是假的嗎？」黃大師對我點點頭，神秘地笑笑：「錢對她來說，是小事；傷了她的面子，可就是大事啦！」

你不能沒有的諒解

現在你了解了嗎？

為什麼黃大師先問那人「已經買了嗎？」

當對方說「我還沒買，要給您看過之後才能決定。」黃大師八成會告訴她：「千萬別買！全是假的。」

但是對方已經買下，就是「再也難翻身」了。

孔子說「成事不說、遂事不諫、既往不咎」就是這個道理。當你發現一件事已經「定案」，再也無法挽回，就不用再多說了。

你能對一個五十多歲的人說：「你這輩子，什麼什麼都做錯了，如果不那樣做，今天一定不一樣」嗎？

你可以說，但你沒有必要說。

他的事已經成了，人生已經過半了，再下工夫，能改變的也有限了，你不是傷他的心、傷他的自尊嗎？

◉

自尊比什麼都重要。

多麼卑微的人、多麼年幼的孩子，都要自尊。

要自尊，是人性！

所以對於他還能改變的事，你可以說。對他已經「再也難翻身」的事，你不能說。

人性很有意思，就好像抓你的皮膚。輕輕的抓是「癢」，重重地抓是「痛」；輕輕的打是「拍」，重重的打是「揍」。

問題是，每個人的感覺不同，抓多重是「癢」？抓多重又是「痛」呢？什麼玩笑是「幽默」？什麼玩笑又是「諷刺」呢？

答案還是那個——

凡是會傷人自尊的，都是「揍」、都是「痛」、都是「諷刺」。

◉

再舉個例子吧！

有個人帶你參觀他已經荒廢的祖宅。

「真可憐哪！你瞧！我曾祖父住的地方有多爛、有多髒！」他自己搖著頭說。

「是啊！講句實在話，有點像堆柴的倉庫。」你附和。

「稱得上是狗窩了。」他居然哈哈大笑起來。

看他如此幽默，你也再加一句：

「是啊！看這一小間、一小間，還像妓院呢！」

原來好好地，他馬上翻了臉。

◉

他為什麼翻臉？

因為祖先窮，可以顯示下一代的努力和榮發。祖先「不乾淨」，就顯示人的「出身」了。

出身無法改變，所以出身不能拿來開玩笑。

問題是，對於出身，每個人敏感的又不相同。

你可以看著一個人，說「我看你的上一代有蒙古血統。」

他可能很高興，因為顯示他豪邁。

你也可以說「我看你上一代有西域、新疆的血統。」

他也可能高興，顯示他白裡透紅，像慕思林，是從天山過來的。

你還可以說「(尤其對女孩子)我看妳上一代有雲南白族的影子，又有水擺夷的味道。」

她雖然沒見過白族，也沒看過水擺夷，但是聽那名字就覺得自己浪漫柔美。

但是，你能說「我看你上一代有黑人的血統」嗎？

我不歧視黑人，你也不歧視黑人，但你怎能確定他不歧視？

不信，你試試，當你這麼說，他的反應會如何？

◉

現在，回到原來的故事。想想，如果楊太太是私下對朱太太暗示：「現在小孩子之間，總是你拿我的，我拿你的，大家拿來拿去，等到有一天孩子之間不高興，又說是你偷我的，我偷你的。真要命！」

如果她還聽不懂，楊太太再加一句：「我也常注意我孩子的東西，看到不是他的，我就叫他還給同學。」

請問，她們兩家還可能「朱楊變色」嗎？

◉

想想，如果你是老曹，你當時打個電話給小吳，說「哎呀！一個年輕人，生活難免不正常，我想幫，也幫不了許多。我看哪，女兒還是留在身邊，留幾年是幾年，享享天倫之樂吧！」

小吳聽得懂也好、聽不懂也好，至少他會感激你，不會恨你。

而且，你要知道，當吳家丫頭猜測老曹可能告狀的時候，她很可能先說老曹壞話。

搞不好，她已經說了老曹的兒子色迷迷地看她，讓她住不下去了呢！

所以，當你碰到這種情況，你不但不能說，而且應該先找小吳的女兒挑明了：

「妳今天的事，我絕不會對妳爸爸講，這次既然被遣送出境，就暫時不要回來了。」

◉

請不要怪我教你作假。

這是人性啊！

一個孩子偷東西、一個女孩子從事淫業，都是我前面所講的——它是難以改變的事實，你說出來，只可能造成更大的傷害。

你唯一幫助他們的方法，就是大事化小、小事化無，讓事情慢慢淡去。

◉

既往不咎！既往不咎！

夫妻之間、朋友之間、親子之間，當你有話要說的時候，要常想想「我這話，於事有沒有補？既然無補，說了又有何益？」

如果你說了，只是圖自己爽，或給對方一個羞辱。

你得到的結果一定是——

老羞成怒。

你這就是不懂人性啊！

第九章

如果他有意思，何不自己來說？

你是他的什麼人？

你爲什麼幫他說話？

你拿了他什麼好處？

豬八戒，笨死的！

「你的程度比他都強，你怎麼可能考不上？」趙教授沒好氣地說：「這個電話我不能打，不是不願意打，是沒有必要打。」

「但他現在是總經理啊！聽說最後都由他決定。」小趙急著說，又拉了拉媽媽的衣角。

「是啊！」趙太太趕緊擠到丈夫身邊：「而且那個吳什麼……」

「吳志勇。」

「對！吳志勇總經理，又是你的老學生，還來過咱們家，吃過我包的餃子呢！」看丈夫沒反應，「好！你不打，我打，我不信他不賣我這個師母的面子。」

「妳也不准打。」趙教授嘩一聲，把報紙放下，沈聲吼道：「我不信，以我兒子的才華，會考不上。」

「不用操心，不找吳志勇，找別人，媽自有路子。」趙太太沒跟丈夫爭，把小趙拉了出去，接著查電話簿，找到廖學海的號碼，撥了過去。

「什麼？老師的大兒子考我們公司，您怎麼不早說呢？這有什麼問題？我明天就去找吳總經理。」廖學海這學生眞夠意思：「師母您放心，包在我身上。」

◉

◉

第二天，廖學海沒上去說，先跑去調出了小趙的卷子，翻一翻，嚇一跳，天哪！中英文俱佳，尤其是那個假設題，答得眞完滿，想得眞周到，廖學海自己的臉都紅了：「心想，別說比我小廖強了，連吳總經理也沒小趙的程度啊！」

信心滿滿地衝上樓，跟王秘書打了個招呼，就進了吳總的辦公室：

「學長！學長！報告你一個好消息。」廖學海進門就喊：「趙教授的大兒子來考咱們公司了。」

「趙教授？」

「是啊！我們的企管教授啊！」

「他兒子這麼大了？」吳總翻著桌上的文件，找出報考的名單：「他來考，我怎麼不知道？」猛一抬頭：「你又是怎麼知道的？」

「趙師母告訴我的。」廖學海興奮地說：「你放心，咱們根本不必放水，他考得好極了，這種人才，我們求之不得呢！」

「噢！你都先看過了。」

「對！對！對！」廖學海趨前一步：「當然，還是要由學長決定。」

「你知道就好。」

◉

第二天，第三天，第四天，廖學海每天跑去總經理辦公室一趟，先是直接問吳總，看臉色不太好，後來就向王秘書打聽：「怎麼樣？老總批下來沒有？」

「還沒批下來耶！」每天晚上，廖學海都向師母這麼報告。

第五天，還是沒消息，站在老媽身邊的小趙急了：「可是，可是，我同學項國

模說他已經接到錄取通知了。」

「有這回事嗎？」電話兩頭的人都大吃一驚。廖學海更急了：「我明天親自去找吳總問，他一定搞錯了，說句實話，卷子我看過，趙小弟考得好極了，不可能不上。」

◉

「你又來問小趙的事了，對不對？」

廖學海剛把門拉開一條縫，吳總經理就說話了：「你拿了趙師母什麼好處？你不知道不能偷看考試卷嗎？這是違規的。」

廖學海的臉一下子白了：「我只是看，我可沒有動半個字，人事室的人都在場，可以作證啊。」

「對不起！」吳總過來拍拍廖學海：「你也是公司的高級主管，愈是主管愈得守規矩，所以如果你非要向趙師母報告，就說『小趙犯了規，沒考上』吧！」

你不可不知的人性

答案都在眼前了。

想想，如果趙師母沒打電話託小廖，小廖又沒上去問吳總，以小趙的本事，會考不上嗎？

他當然考得上，不但考得上，而且可能拿第一名。不但拿第一名，而且會特別受尊重。

為什麼？

因為當公司上上下下，知道他是趙教授的公子，卻完全沒靠老子的關係，憑實力自己考上的時候，對他必定另眼相看。

可惜，這步棋走錯了。錯在師母不懂人性、小廖也不懂人性，更錯在中國社會

的人情。

◉

中國人很妙，明明有實力，可以靠實力，必定過關的事，總覺得再託個人，打個招呼，會更有把握。

豈知道，這招呼如果沒打好，明明可以贏的，反而變成滿盤皆輸，而且輸了都不知道怎麼輸的。

你想，廖學海真會去跟師母報告，只怪他去翻了試卷、犯了規嗎？

話再說回來，小趙真因為小廖犯規，而落榜嗎？

讓我再說個故事吧！

◉

有位國寶級的畫家，有一天老學生來訪，看到老師寶刀未老，佳作頻出，就建議：

「老師，您何不在某博物館辦個回顧展？」

「好啊！」老畫家居然一口答應了。

學生也就跟廖學海一樣，立刻跑去博物館，找那同樣是老畫家學生的館長。

能請這位十多年未開畫展的國寶出來，對博物館而言，是大好的消息。

可是你猜，那館長立刻同意了嗎？

他跟吳總的反應一樣，沒同意。

他壓著，只當沒聽見這消息。

當有一天，老畫家憋不住，自己打電話過去。那館長卻像觸電一樣，立刻飛車趕到老師的家裡，進門就喊：

「哇！太好了！太好了！老師願意出來展覽了。」

「那個誰誰誰不是早跟你提了嗎？」老畫家不解地問。

「誰？」館長歪著頭想：「他是來過，可是我不記得他說了啊，他倒說他自己想開畫展呢。」然後大聲笑起來：「老師啊！您一個電話，不就成了嗎？幹麼要他來說？他算老幾？」

◉

一個故事不夠，再講個我的親身經歷。

有個學校的訓導主任在某場合遇到我，問我能不能去她學校演講。

我是極少演講的，主要是因為身體不好，很怕答應了學校，到時候卻不能出席。所以我說：

「對不起！我不能早答應，除非是下禮拜，因為最近天氣好，我不氣喘，只是你們臨時，恐怕安排不來。」

沒想到，那訓導主任回去就打電話給原來的演講者，拜託人家改期，接著跟我敲定時間，並告訴了學生。

然後，她跑去向校長報告這個不錯的消息。

◉

故事說到這兒，你也知道下面的結果了，對不對？

如果你知道，表示你了解了人性。

果然，跟「吳總」和「館長」一樣，校長說：「原來定好的講者，不能隨便改，這已經上了行事曆，對人家也不禮貌。」

於是，我接到了那訓導主任「不知道怎麼解說的電話」，又接到一大堆那學校學生抱怨的信。

學生抱怨誰？

抱怨訓導主任，因為那主任不敢說是校長不同意，只好自己吃了下來。

過了兩個月，我又接到那學校邀請演講的電話，你猜！誰打來的？

你一定猜對了——校長。

你不能沒有的諒解

這就是人性！

什麼叫走門路、託關係？

託關係就是賣人情、賣面子。

面子賣給誰？

賣給我最尊重的人，對我最有好處的人，有一天我有求的人。

如果吳總經理對小廖說「小趙考取了」。有一天，趙教授知道是小廖在「穿針引線」，他會感激誰？

憑什麼我吳總經理作主的事，要由那廖學海得「面子」？而且趙教授為什麼不找我，去找那小廖！

◉

同樣的道理，如果博物館館長早早同意了，那老畫家會感謝誰？當然是那傳話的學生。他只怕還私下賞一張好畫呢！

再想想，當學生由訓導主任那兒得到消息，高興歡呼的時候，如果你是校長，

你甚至還不知道發生了什麼事，你會高興嗎？

由此可知，你託關係如果託不好，足以壞事。而且當來找你的人，他在辦事倫理上沒搞好，也會使你受害。

如果國寶級的畫家自己不打電話，他不是受害了嗎？他不單受害，還可能受辱——

這麼偉大的畫家，主動要辦展覽，居然被打了回票。

不是受辱，是什麼？

◉

所幸，老畫家打了電話。

於是，他沒受辱，「辱」給了那傳話的學生。如果老人昏瞶，還可能因此以為學生沒辦好事情，只想藉機圖利他自己呢！

同樣的，小廖受了辱、訓導主任受了辱。

誰要你們瞎攪事情，誰要你們自認為能幹呢？

當學生們向主任三呼萬歲，就像人民向打勝的將軍三呼萬歲，被皇上聽到，誰要倒楣？

所以，你不但不能隨便託人，而且不能隨意「攬事」。

你要攬，就要攬得有技巧。

譬如，你是小廖，看小趙考得一定能過關，就私下向師母報告：「我看了卷子，一定過關，不必託吳總了。」

於是師母會謝你，吳總不恨你。

又譬如學生去對館長說：「我看到老師畫了不少好畫，我是沒敢提，提也沒用，但我想，如果你打個電話，老師說不定會同意開個展覽。」

結果事情辦成，老師、館長都高興，都感謝這學生在中間牽線。

至於那位訓導主任，她如果能回去向校長報告「今天我遇到某人，他難得出來演講，但說下禮拜可以。我也看了下禮拜原定的講者，可以改時間，現在只要您的一句話了。」

你想，校長會不答應？又犯得著隔兩個月再親自打電話嗎？

尤其重要的是，校長會高興這主任懂得工作倫理。

◉

人類的社會就是如此——

一環扣著一環。

仗打輸了，明明打的是士兵，受罰的卻是將領，甚至可能因此掉了腦袋。

同樣的，仗打贏了，明明賣命死傷的是士兵，受賞的也是將領，這就叫「一將功成萬骨枯」。

一個主管要作主，就要負責，就得背過，就得居功。

當然，有面子，也要由他來賣。

因為今天他給別人一個面子，別人明天也會賣他一個面子，靠這利益交換，他才能往上爬。

回頭想，今天你把好處給了他，他私下感謝你，你不是改天也有好處，能往上

爬嗎？

所以，不要覺得人性可悲，要諒解這就是人類的社會，是有組織、有環節、有倫理、有往來的。

你也要由前面故事中得到幾點教訓——

一、託錯人足以壞事。

二、有實力就不要靠關係。

三、能自己直接打招呼，就不要求別人在中間傳話。

四、沒事別自己找事，免得到頭來裡外不是人。

第十章

從良的妓女是全新的人，
不必想舊時的「工作」，
不必認舊時的「同事」。
暴發的朋友是全新的人，
不必攀舊時的交情，
不必認舊時的玩伴。

我們不認這個好朋友

「Make a wish! Make a wish!」琳琳和盼盼喊。

小燕歪著頭，瞇著眼，笑了，然後深深吸口氣，把蠟燭吹熄。

「能透漏妳許了什麼願嗎？」琳琳問。

「不行！不行！」盼盼把手一揮：「這種wish是不能說的，說了就不靈了。」

「不說我也猜得到！」琳琳笑。

「妳猜我希望什麼？」

「妳啊！」琳琳一個箭步，跳到盼盼和小燕之間，一邊摟一個，甜蜜地說：「妳希望咱們的事業成功！」

「對！事業成功！」天哪！端蛋糕進來的時候忘記關門，門開了，走進一個人，居然是蘇老闆。

「蘇老闆好！蘇老闆好！」三個人趕快圍上前迎接。

「生日快樂！」蘇老闆對小燕一笑，從背後拿出個小禮物。

「打開來！打開來！」琳琳和盼盼喊。

「能不能？」小燕看看蘇老闆。

「當然！」

在幾雙瞪大的眼睛下，小燕很快地撕破包裝紙，三個人全尖叫了起來：

「哇！那麼漂亮的鍊子！金的耶！」「是啊！上面還有個小牌子，我看看！我看看！」

「是我的英文名字Christian。」小燕笑了！笑得好媚也好美。

大家正笑呢！門鈴響，又來了一批人：「生日快樂！」

天哪！公司的老總、副總、企畫主任全來了，後面……後面，還跟著作曲——小豹。

二十八坪的房子裡，一下子擠滿了賀客。

小燕跑去準備飲料，被琳琳和盼盼一把拉了回來：

「快！去陪老闆，由我們來。」

樂聲悠揚地響起，是小豹的曲子，琳琳和盼盼一邊端飲料、分蛋糕，一邊搖擺。

小燕也由老闆身邊站起身，過去，三個人一起搖擺、一起哼、一起唱。

三年了，從音樂科畢業，她們三個就一起進了這家唱片公司，就一起搖、一起哼、一起唱、一起作「和音天使」。

三個人也合租了現在這間小公寓，彼此照應、一起上班、一起下班。

◉

「今天下班我不跟妳們一起回去了。」生日的隔天，小燕對琳琳說。

「是不是有約會？」琳琳笑笑。

「是不是跟蘇老闆？」盼盼把臉湊過去，盯著小燕的眼睛。

「只是有點公事啦！」小燕沒正面答。

「不要太晚回來喲！」「不要夜不歸營喲！」兩個人笑著拍拍小燕，先走了。

小燕眞的差點夜不歸營，將近天亮，才卡答、卡答地回來。

琳琳揉著眼睛出來張望一下。沒說話，轉身進去了。

盼盼也醒了，被小燕洗澡的聲音吵醒，就沒能再闔眼，一直到天亮。

「拜託！下次約會，妳早點回來好不好？」「再不然就不要回來。」兩個人第二天，就表示了不滿。

◉

眞的，小燕跟著就沒回來睡，又過兩個禮拜，看她一個人在打包。

「妳要搬走？」琳琳和盼盼叫了起來。

「是啊！」小燕不好意思地笑笑：「我眞是怕晚回來，吵了妳們，還是搬出去住好了。」

「妳搬去哪裡？」兩個人問。

「我租了房子，不遠，就在旁邊那個新蓋好的大樓裡，妳們可以隨時過來，我們還是沒有分開。」小燕抱了抱盼盼，又抱了抱琳琳。

◉

小燕果然就搬到旁邊。

三個人上班的時候，總碰到。只是小燕常有人接，倒也不是蘇老闆過來接，而是公司特別派來的車子。

「上車、上車！」每次小燕都會叫司機停車，喊兩個人上。

「不要啦！不要啦！我們還是習慣搭公車啦！」每次琳琳和盼盼都這麼拒絕。

然後，兩個人手牽著手，一邊走、一邊跳、一邊唱，唱她們三個人和音的曲子。

◉

又過了一個多月，早上盼盼和琳琳進公司，只見高級主管上上下下地跑，好像發生了什麼大事。

跟著來了一批記者。

突然歌聲起，好熟悉的聲音，盼盼和琳琳嚇一跳，那不是小燕的聲音嗎？

衝到樓上，果然裡面燈火輝煌，鎂光燈閃個不停。一個妖嬈的女孩正在台上又

唱又跳。

「是不是小燕？」琳琳問盼盼。

「很像，又不像。」盼盼瞇著眼睛看：「她什麼時候灌了這首曲子？」

「灌了曲子！」

「是啊！」盼盼指指四面牆上的大海報：「今天是新星新曲發表會呀！」

「對！是她，克麗絲汀，我看到她的英文名字。」

正說呢！王副總轉過身，瞪了兩個人一眼，又把食指放在嘴唇上比了比。

◉

「什麼公司秘密武器嘛！」

「根本就是老掉牙的和音天使嘛！」

兩個人退了出來，沒好氣地說：「一下子登天了！怎麼登的？誰不知道？」

◉

琳琳和盼盼辭職了。

老總問都沒問，就點了頭：「妳們離開也好，只是，拜託，妳們出去不要再亂說話。」

「我們沒亂說！」

「可是圈子裡傳得亂七八糟。」老總皺著眉：「妳們和小燕在一起，那麼多年，畢竟是好同事、好朋友。」

「誰跟她是好朋友！」琳琳拎起化粧箱。

「是啊！我們沒這種好朋友。」盼盼拉著琳琳，砰一聲衝了出去。

你不可不知的人性

小燕做錯了什麼？

答案很簡單——

錯在她高升了，錯在她發了！

◉

我們常罵一個人發了，就眼睛長在頭頂上，再也不認老朋友。

其實這句話不全然正確，有時候，也可以說「當一個人發了，老朋友就不再認他。」

因為這是人性！

人不再認老朋友，第一個原因，可能是他不再願意看到那些老朋友。

這個「不願見」的情懷很複雜。

如果你留級了，你可能不願看見以前班上的同學，因為看到他們會使你覺得自己矮了一截；看到他們也可能使你再受一次傷害。

如果你離了婚，你可能不再希望跟以前一塊玩的夫妻檔碰面，因為你們「拆了」，他們卻依然出雙入對。你更可能不希望碰上前夫或前妻的朋友，因為那是「他（或

她)」的朋友，既然你已經不再認他，你也就沒有必要再認他們。

即使他們喜歡你，認你，很願意跟你繼續來往，你也可能躲著。

因為你會猜：那些人是我前夫或前妻的朋友，他們一定向著「那個人」，他們也可能只是同情我。除非有一天，你得意了，過得比以前好得多，為了讓那些人「傳」給「那個人」聽，作為一種報復，你才可能跟他們接觸一下。

當然，也可能到那時候，你更不願意碰到「他們」。

因為你有了新的另一半、新的生活、新的家庭、新的世界，你不希望你的另一半知道你的過去，即使他知道，你也不希望去「提醒他」，讓他想起。

◉

風月場所的女孩子更是如此。在「那兒」，她們是好朋友、好姐妹，但是當有一天，她離開了那個地方，就不再相認、不再相見。為什麼？因為她要忘了過去，她已經是個全新的人。

是啊！如果妳曾經在風月場所上班，有一天，妳離開了，有了個愛妳的丈夫、

有個妳心愛的家、有了妳可愛的寶寶，妳會希望妳的鄰居、朋友、孩子，知道妳的過去嗎？

監獄裡也是一樣，當犯人出獄的時候，他為什麼不跟典獄長和獄卒說「再見」？他不是無情，只是他不願意再回到以前。

◉

進一步想，如果你再婚，你以為你的另一半又希望見到你以前的朋友嗎？只怕他非但不希望見那些人，而且不希望和你去前夫或前妻以前的地方。譬如「你們」以前常去花蓮，他可能就不願意和你再去。

如果他和你去，你指指這裡、指指那裡，表示你都熟，他會高興嗎？你每指一個「以前去過的地方」，就讓他想起一次「你的過去」。如果你不識趣地指著某旅館說：「這裡我住過」。

下一句他該怎麼說？

問你當年住哪個房間？問你當年是個「一夜三次郎」？或有個「一夜三次郎」？

還是，他最好悶悶地、不答話？

◉

一個人與舊朋友疏遠，也可能因為有了更多的新朋友。

想想，如果有一天你跟小燕一樣，由小公寓搬到了旁邊新蓋的大樓。

妳出門，在走廊裡遇見新鄰居，跟妳交換了電話、作了互訪；妳走出電梯，遇見個老同學，要帶妳去買新家具，又提及一些老同窗的消息；妳到大廳，認識了幾位管理員，向妳介紹了大樓的福利和管理規則。

妳一下子是不是交了一堆新朋友？

當然，其中也包括了妳久不來往，又要重拾情誼的「舊交」。

◉

我們的一生就是如此「新新舊舊」。

打開電話簿，密密麻麻的名字和號碼。

請問，哪一個不是你認真寫下去的？但是到今天，你又和多少人還在往來？

人生本來就是來來往往。你搬了新家、進了新房、有了新工作，也就有了新朋友。

你有多少時間能既結交新朋友，又和所有的「舊朋友」保持密切聯繫呢？

於是，在不知不覺中，你和「他們」漸漸疏遠。也不是刻意疏遠，而是少了聯絡。

◉

現在問題來了！

當你一下子結交許多新朋友的時候，你的「心」被許多「新」占據了，你很忙，過得很充實。

但是回頭看看你的舊朋友，他們每天仍然在那個老地方活動，他們每天仍然在那個老時間碰面。

在他們的「不變」當中，有了什麼「變化」？

有！是你！

在聚餐時，你總坐的那張椅子空了！

在聊天時，你熟悉的笑聲不見了！

他們失落了！彼此問「他去了哪裡？為什麼不來？」

抬起頭，遠遠的高級華廈裡，你去了那邊。

請問，他們的感覺會好嗎？

他們沒變，是你變了啊！

他們還在那兒，是你走了啊！

◉

美國人常說「Out of sight, out of love.（看不到了，也就不再愛了。）」

我在美國教書，見多了！

台灣的新留學生來，如果是女的，總有男留學生搶著去接飛機。許多人接到那女生之後，先幫她寄信、申請電話。

信寄給誰？電話打給誰？

她要打給在國內的男朋友，而且一邊打一邊哭。

這邊這個男生則在外面等，等著帶她去買日用品、逛校園、辦註冊。

還等著帶著她去附近的風景名勝遊覽。

玩著玩著，她給國內的信少了，電話少了。但是國內來的信和電話還是那麼多。

她不再放不下電話，她甚至會勸那一頭的人：「省點錢！少說幾句吧！」

因為另一個人正在樓下，坐在車子裡按喇叭。

下面還說什麼呢？

說得難聽一點——遠水救不了近火。

說得好聽一點——因為不在同一個世界了。

◉

「不在同一個世界」，這句話可以解釋一切。

當你發了，你的出手闊了，場面大了。你雖然不忘舊情，總找以前的朋友一起出去玩。問題是，他們能不能跟你一樣出手呢？

就算你夠朋友，為他們出錢。換作你是他們，你又會願意一次一次接受招待嗎？當你和他財力相差非常多的時候，你還可能願意，但是當你雖不及他，卻又差得不太遠的時候，你就會想：

「我不敢高攀！」

你愈是像小燕、琳琳和盼盼一樣，原來平起平坐，而今位階有了變化，你愈會吃醋，也愈會躲避。

這就是人性！這也就是「當一個人發了，老朋友就不再認他」的道理。

你不能沒有的諒解

有個女士對我說，當她丈夫過世之後，以前總在一起玩的一對夫妻，喪禮完，

就再也沒去看她。

有時候，她甚至覺得那對老朋友在避著她，即使到她鄰居家，也不順路過去探望一下。

她很氣，認為「人在人情在」，丈夫死了，朋友就不認她了。

過了幾年，那家的丈夫也死了。

居然沒隔幾天，那女人就去看她：「妳知道妳丈夫死了之後，我們為什麼沒來嗎？」那女人拉著她的手：「我們其實好想來。但是我丈夫說，妳丈夫生前向他借過錢，恐怕妳知道。」

她點了點頭：「我知道。」

那女人笑笑：「我們很怕我們來，會讓妳想到那筆錢，以為妳丈夫死了，我們急著來討債。」

那女人丈夫的遺言是「錢沒多少，不必還了。」

◉

看了這故事，你想想，換作你，當那對老朋友不再去看你的時候，你是不是也會一樣地怨他們，甚至罵他們？

同樣的道理——

某人正念大學的兒子，車禍死了。兒子生前總到家裡玩的同學，便再也不上門。兒子的女朋友，也不見了。

當你罵他們「不夠朋友」的時候，是不是也該想想，如果他們上門，又如何？你原來淡忘了兒子的死，看到那些年輕人，還生龍活虎，你是不是又勾起感傷，拉著他們，又落了淚？

他們見你哭、看到你牆上掛的照片，是不是也要傷心。

人性在這時候，就可能躲避。不是他們無情，是因為他們不知「如何自處」，也不願「勾起彼此的傷痛」。

◉

當你的事業失敗，那些以前的老朋友就避不見面，不也有同樣的可能嗎？

往壞處想，他們怕你伸手借錢。

往好處想，他們怕傷了你的自尊。

往壞處想，他們不再找你出去玩。

往好處想，你倒了、窮了，還能維持過去的排場嗎？

他們拉著你，要不要你出錢？不要你出錢，會不會傷你的自尊？

再往另一個角度想——

他們找你，你「打腫臉充胖子」，有必要嗎？

◉

大樹被吹倒了，扶起來之前，先得把枝子鋸掉一些。

當有一天，你不如意了，千萬不要去硬撐場面。那樣做，你累，別人也累；錢累，心也累。

碰到老朋友，你也不要躲避。你可以坦白說出自己的處境：「我窮了，玩不起了。」

人家要請你，你可以說「我現在必須把握每一分鐘，想辦法東山再起。」
於是，你窮，但窮得有志氣，窮得不畏怯。
跟那些老朋友相處，你能很泰然，他們也能很坦然。

◉

「十年河東，十年河西」。每個人都有得意時，也有失意時。
老朋友發了，不見了，要想：「他忙。」
老朋友垮了，避不見面，要想：「他難。」
如果你不得意，千萬別猜朋友躲著你，否則你只可能更孤立。
如果你很得意，遇到以前的朋友，千萬少談眼前，多談過去，別人才會覺得你仍然念舊。
朋友是你的資產！
一個失意人，能在一群得意人間談笑風生、略無慚色，才是有骨氣；一個得意人，能在一群失意的朋友間，讓人想不到他的得意，才是會做人。

想想，前面故事中，琳琳和盼盼離開得多尷尬？

小燕愈成功，愈顯得她們失敗，不但事業失敗，做人也失敗。到了別家公司，人們會怎麼說？小燕如果成名，會不會找她們和音？

就算找她們，她們又怎麼回得去？

相反地，如果小燕主唱，她們和音，用最美的聲音、最快樂的笑容、最祝福的眼神，為自己的好朋友撐腰，表現出「以她為傲、以她為榮」的胸懷。

人們會說：「只因為有這兩位好朋友的陪襯，使小燕能展現潛能，她的成功是『她們』的成功。」

這又將是多麼溫馨的畫面？

後記

人性的地獄與天堂

《你不可不知的人性》寫到這兒，已經八萬字，意猶未盡，就再說三個小故事吧！

◉第一個故事

一九九七年十一月，由於陳進興和高天民四處強暴殺人，全島都人心惶惶。

突然，民眾報案，在北投看見高天民，大批警察趕去，但是被高天民發現，從馬路旁邊縱身躍入下面的小溪和竹林，等警察想辦法追下去，已經失去了他的蹤影。

電視上播出一大批警察搜山的畫面，我正在朋友家作客。

「狗屁警察、孬種警察，人家高天民一跳就下去了，警察不敢跳，不要臉！」

朋友的太太咬著牙罵。
「可不是嗎？」我笑笑，問她：「可是如果今天那警察是妳丈夫，妳怎麼說？」
她怔了一下，笑起來：
「要是我丈夫啊！我就打電話叫他別逞強！快回家！」

◉第二個故事

有一天，在台北市的某廣場舉行慈善團體的募款活動，我去了，並在募款會結束之後，到附近逛逛。
「您是劉先生，對不對？」有個藝品店的小姐認出我，又歪著頭、指指我：「我知道了！你是來參加募款大會。」
「妳也知道廣場上有募款會呀？」我驚訝地說。
「當然！我也去了一下，還捐了錢呢！」她掏出一張捐款的收據給我看，又帶我參觀她的藝品：「劉先生買一個吧！算您特價。」

我買了，沒還價就買了，相信一定不會貴。

但是，才走幾步，看見另一個藝品店，櫥窗裡放著一模一樣的東西，只要四分之三的價錢。

◉第三個故事

去水果攤買水果。

老闆不在，一個十歲左右的小孩看店。

「小弟弟，你看這兩種梨，哪個比較好？」我問那小孩。

「右邊這個！」他想都沒想，就指了指。

剛說完，老闆進來了，跟我打個招呼，我又問一次：

「老闆啊！你看我該買哪種梨？」

「當然左邊這個！」他也想都沒想，就指了指。

我笑了：「可是剛才小弟弟告訴我右邊的比較好耶！」

「幹！」他突然打了小孩一巴掌：「這是劉伯伯，好朋友，要說實話！」

◉

好！故事說完了，你說這裡面，誰是好人？誰是壞人？誰對？誰錯？

人性就是這樣，常沒有絕對的對與錯。如同名作曲家王洛賓說的——別人爲你拍照，他的鏡頭偏右，拍出來，你就是「左派」；一下子他的鏡頭偏左，拍出照片，你又成了「右派」。

焚化爐一定要建！核電廠一定要蓋！

你很客觀，講得一點沒錯。

但是跟著發現你家旁邊在整地。

打聽之下，大驚失色。

當天，你的說法就有了改變；隔週，抗議的隊伍裡就有了你。

◉

你跟第一個故事中的那位太太有什麼不同呢？

看到電視裡災民的影片，你會落淚；捐款專線的字幕出現，你趕快抄下，然後撥通、捐錢。

你去打禪七、去佈道會、去清修、去告解。

問題是，隔天早上，你走進辦公室，該爭的、該吵的，嫉妒的、貪婪的。

你改變了多少？

第二個故事裡的女店員，不也一樣嗎？

◉

至於第三個故事。如果你是我，你相信那孩子，還是相信那老闆？

無論你相信誰，都是可悲！

相信孩子，你會爲孩子悲，因爲他說實話還要被揍，而且父親當著他的面撒謊。

相信父親，你也要爲孩子悲。爲什麼小小年紀，就學會了撒謊？是誰教他的？

問題是，當我們教育小孩的時候，是不是正犯同樣的錯？

◉

梁啓超在他的家書裡寫得好——

「其實我們大家都是在不斷再生的循環之中。我們誰也不知道自己一生中要經過幾次天堂和幾次地獄。」

可不是嗎？

何必等死後去天堂和地獄？如果眞有天堂與地獄，我們應該說：「在活著的時候，心裡常有天堂的人，死後也可能上天堂；在有生之年總是心裡有鬼的人，死後也可能下地獄。」

我們其實在今生就不斷在心裡掙扎。

住在地獄，想著天堂；又住在天堂，想著地獄；更進一步則是——自己住在天堂，卻把別人推入地獄。

◉

我在研究所的一個教授，很會算命。

有一天，他坦白地說：

「哎呀！我哪裡會算命，只是懂得人性啊！我只要把一個人拉到一邊，小聲對他說『我看你的相，就知道你這個人太熱心，結果不但沒得好報，還總是因為說話太直，得罪了人。你的朋友都虧欠你……』」

那教授得意地問：「換作你，我對你這麼說，你是不是也要猛拍一下大腿，說『是啊！您眞是說得太準了！』這就是人嘛！」

對！這就是人，總覺得別人欠自己的。

人人都這麼感覺，所以反過來想，就成了「我們總是欠別人的。」

◉

看完這本《你不可不知的人性》，我希望你也能反過來想想：「自己有沒有虧欠？自己的人性又如何？」

當你嘆人性可悲的時候，也能想想自己的「卑微」與「悲哀」。

此外，如果你是我的「老讀者」，一定知道當我出一本辛辣的「處世書」的同時，一定也會寫一本「深情之作」。

這樣做，是爲了讓作品平衡，也是爲了使我自己平衡。所以我今天寫的愈辛辣、愈無情，明天寫的就愈溫柔、愈多情。

那是「理性」與「感性」，也是「地獄」與「天堂」。

◉

配合這本書，我將出版另一本私房書。也可以說，配合這本可能的暢銷書，我將寫一本可能不暢銷的書——以雪面銅版紙彩色印刷，配合我最「出世」的散文、攝影與繪畫出版。

衷心盼望您，能看看我的感性著作——《抓住屬於你的那顆小星星》。

因爲：

「入世」常是爲「出世」，走過「地獄」，常是爲了進入「天堂」。

處世書帶來的應該不是喧嘩，而是寧靜；不是憤世，而是達觀。

劉墉的著作

文藝理論：

〈中國繪畫的符號〉（《幼獅文藝》·1972）

〈詩朗誦團體的建立與演出〉（聯合報1981）

《花卉寫生畫法The Manner of Chinese Flower Painting（中英文版）》（紐約水雲齋·1983）

《山水寫生畫法Ten Thousand Mountains（中英文版）》（紐約水雲齋·1984）

《翎毛花卉寫生畫法The Manner of Chinese Bird and Flower Painting（中英文版）》（紐約水雲齋·1985）

《唐詩句典（暨分析）》（水雲齋·1986）

《白雲堂畫論畫法Inside The White Cloud Studio（中英文版）》（紐約台北水雲齋·1987）（太平洋文化基金會獎助）

《林玉山畫論畫法The Real Spirit of Nature（中英文版）》（紐約台北水雲齋·1988）（太平洋文化基金會獎助）

〈中國繪畫的省思〉（專欄系列）〉（中國時報·1990）

《藝林瑰寶（專欄系列）》（《財富人生雜誌》·1990）

〈內在的眞實與感動〉（聯合報·1991）

《中國文明的精神（三十集二十七萬字）》（廣電基金·1992）

〈屬於這個大時代的麗水精舍〉（太平洋文化基金專刊·1995）

畫冊及錄影：

〈歐洲藝術巡禮〉（中國電視公司播出・1977）
《芍藥畫譜》（水雲齋・1980）
《The Real Tranquility（英文版錄影帶）》（紐約聖若望大學・1981）
《春之頌（印刷冊頁）》（紐約水雲齋・1982）
《眞正的寧靜（印刷冊頁）》（紐約水雲齋・1982）
《The Manner of Chinese Flower Painting（英文版錄影帶）》（紐約海外電視25台播出・1987）
《劉墉畫集（中英文版）》（紐約台北水雲齋・1989）
《劉墉畫卡（全套四十三張）》（水雲齋・只供義賣・1993・1994・1995・1996・1997・1998・1999）

有聲書：

《從跌倒的地方站起來飛揚（劉墉・劉軒演講專輯）》（台南德蘭啓智中心・只供義賣・1994・馬來西亞華僑董事會聯合總會・只供義賣・1997・水雲齋・只供義贈盲胞・1997）
《這個叛逆的年代（劉墉演講專輯）》（馬來西亞華僑董事會聯合總會・只供義賣・1995）
《在生命中追尋的愛（劉墉演講專輯）》（伊甸社會福利基金・只供義賣・1996）
《愛的變化與飛揚（劉墉演講專輯）》《在靈魂居住的地方（有聲書）》（水雲齋・只供義贈盲胞・1998）

譯作：

《死後的世界（瑞蒙模第原著）》（水雲齋・1979）
《顫抖的大地（劉軒原著）》（水雲齋・1992）

詩、散文、小說：

《螢窗小語（第一集）》（水雲齋・1973）
《螢窗小語（第二集）》（水雲齋・1974）（中山學術文化基金獎助）

《螢窗小語（第三集）》（水雲齋・1975）（中山學術文化基金獎助）

《螢窗小語（第四集）》（水雲齋・1976）

《螢窗隨筆（詩畫散文集）》（水雲齋・1977）

《螢窗小語（第五集）》（水雲齋・1978）

《螢窗小語（第六集）》（水雲齋・1979）

《螢窗小語（第七集）》《眞正的寧靜（詩畫散文小說集）》（水雲齋・1982）

《小生大蓋（幽默文集）》（皇冠・1984）

《點一盞心燈》《薑花》（水雲齋・1986）

《超越自己》《四情》（水雲齋・1989）

《創造自己》《紐約客談》（水雲齋・1990）

《肯定自己》《愛就注定了一生的漂泊》（水雲齋・1991）

《人生的眞相》《生死愛恨一念間》（水雲齋・1992）

《冷眼看人生》《屬於那個叛逆的年代（改寫・劉軒原著）》《離合悲歡總是緣》（水雲齋・1993）

《衝破人生的冰河》《作個飛翔的美夢》《把握我們有限的今生》（水雲齋・1994）

《我不是教你詐》《迎向開闊的人生》《在生命中追尋的愛》（水雲齋・1995）

《生生世世未了緣》《抓住心靈的震顫》《我不是教你詐②》（水雲齋・1996）

《尋找一個有苦難的天堂》《殺手正傳》《在靈魂居住的地方》《創造雙贏的溝通（劉軒合著）》（水雲齋・1997）

《攀上心中的巓峰》《我不是教你詐③》《對錯都是爲了愛》（水雲齋・1998）

《做個快樂讀書人》《一生能有多少愛》《你不可不知的人性》（水雲齋・1999）

劉墉「處世系列」介紹

【導讀篇】

人生的眞相

如果「勵志」書是教你向前衝，這本「礪智」書則是要你小心走。八十多個精采的小故事，以連鎖的方式呈現，讓你自己閱讀、自己歸納、自己發現，卻不必自己「遭受」，就了解人生的眞相。

三十二開，二二四頁，穿線裝，定價一五〇元。

【反思篇】

冷眼看人生

這是一本專爲成年讀者寫的書，很辛辣、很幽默、很諷刺、很動人。它可能讓你會心而笑，也可能令你手心冒汗。最重要的是，它反映眞實的社會與人性。教你怎樣以冷眼，客觀地看這人世間的衆生相。

三十二開，二四〇頁，穿線裝，定價一五〇元。

【辯證篇①】

我不是教你詐（第一集——一般處世）

世事洞明皆學問，人情練達即文章。這本書就是教你：怎麼洞明世事，如何練達人情。它教你怎麼說話、怎麼送禮、怎麼對事不對人、怎麼韜光養晦、怎麼把話說在前、怎麼利用矛盾、怎麼看穿「卡位」，甚至怎麼打電話。

三十二開，二四〇頁，穿線裝，定價一五〇元。

【辯證篇②】

我不是教你詐（第二集——工商社會處世）

這是一本針對當前社會現象所寫的書，每個故事都可能切中時弊，每個分析都可能深入人心。它把這個工商業社會的機巧與人性結合在一起，作出細細的分析。它教你怎麼看透人性和諒解別人，也教你怎麼做個「不被迫害的好人」。

三十二開，二七二頁，穿線裝，定價一八〇元。

【辯證篇③】

我不是教你詐（第三集——現代社會處世）

這本書雖然看來比前兩集更辛辣，但是也更平實而溫厚。它教你哪些事不必說，哪些事不該問；得理時且饒人，有錯時先認錯；當勢的人小心被利用，遇到僵局要主動去化解；一人贏不如大家贏……。它教你眞正做到「大詐之詐，彷佛不詐」。

三十二開，二六四頁，穿線裝，定價一九〇元。

【反諷篇】

殺手正傳

這是一本經過細密策畫寫成的巨著，也是劉墉從事文學創作以來，最雄渾有力的作品。作者巧妙地透過一隻螳螂，探討人生的愛憎情仇與人世的狡詐現實。它比過去任何一本書都辛辣尖銳，對整個人類的文明提出批判。

二十五開，三五二頁，穿線裝，定價二八〇元。

【剖析篇】

你不可不知的人性

這是一本兼具深度、廣度、力度與溫度的作品。劉墉以「身邊的小故事」和古今的實例，一層層剖析眞正的人性。它像一把手術刀，切到人心的深處，先讓你看清人性的毒瘤，再把毒瘤切除。它絕對是尖銳、露骨、血淋淋的，只是在血淋淋之後，希望帶給你一種豁達。

二十五開，二二四頁，穿線裝，定價二〇〇元。

國家圖書館出版品預行編目資料

你不可不知的人性／劉墉著. --初版. --臺北市：水雲齋文化，1999 [民88]
面；　公分

ISBN 957-9279-45-4（平裝）

1. 人性論

191.6　　88007108

你不可不知的人性

作者：劉　墉
發行人：劉　墉
出版者：水雲齋文化事業有限公司
地址：臺北市忠孝東路四段三一一號五樓之五
郵政劃撥：一五〇一三五一五號
電話：(〇二)二七七一七四七二・二七四一五二六六
傳真：(〇二)二七四一五二六六
登記證：局版台業字第伍零零貳號
責任編輯：蔡慧慧
校對：司馬特　畢薇薇　馮宜靜
總經銷：吳氏圖書有限公司
地址：臺北縣中和市中正路七八八之一號五樓
電話：(〇二)三二三四〇〇三六
法律顧問：世界法律事務所蔡天鐸律師
電腦排版：鑫上統電腦排版事業有限公司
印刷：沈氏藝術印刷公司
地址：台北縣土城市中央路一段三六五巷七號
定價：平裝二〇〇元
初版：一九九九年七月

ISBN:957-9279-45-4